90

La beauté des Delphiniums

Fritz Köhlein

Delphiniums

44 photos en couleurs
23 dessins

Traduit de l'allemand par
Annick Bigot

EDITIONS
EUGEN
ULMER

**Couverture :
Hybrides de
Delphinium-Pacific.**

**Page 2 :
Delphinium en
fleurs dans un
jardin.**

**Page 6 : Beau
massif de vivaces
avec au premier
plan le Delphinium
nain 'Dwarf Blue
Springs'.
Certains semis se
revèlent vivaces,
alors que d'autres
disparaissent.**

L'édition originale de cet ouvrage a été publiée
en allemand par Eugen Ulmer GmbH & Co.
Titre original de l'œuvre :
Schöne Rittersporne
de Fritz Köhlein
© 1992 Eugen Ulmer GmbH & Co.

ISBN 3-8001-6527-9

Edition française © 1993 Les Editions Eugen Ulmer
1, rue de l'Université, 75007 Paris
Traduction de l'allemand : Annick Bigot
Lectorat : Elda von Korff Kerssenbrock
Dessins : Marlene Gemke
Maquette de couverture : Alfred Krugmann
Composition : A.G.E. 91300 Massy
Impression et reliure : Passavia Druckerei GmbH, Passau

Préface

"La splendeur d'un matin d'été dans un jardin n'est pas complète sans Delphiniums", écrivait Karl Foerster. Je me suis occupé pendant plus de quarante ans de cette plante vivace bleue et blanche et je pense qu'il avait vraiment raison ! Ce fut lui, qui – avec ses livres, où il exprime son enthousiasme pour les Delphiniums, et, bien sûr, avec ses belles cultures – me fit connaître de plus près la diversité de ces hampes florales bleues. De nombreuses espèces de sa station expérimentale sont toujours là et constituent une liste d'espèces sélectionnées. Sans Karl Foerster, on n'aurait pas atteint en Europe Centrale le niveau actuel de la culture de Delphiniums.

L'accroissement du nombre de variétés se poursuit. De nouveaux critères d'obtentions doivent être pris en compte surtout lorsque s'imposent de nouvelles méthodes de culture. Et comme pour beaucoup d'autres espèces et genres, il est difficile de déterminer l'éventail exact des variétés. Ce petit livre se veut une contribution au savoir horticole actuel et une documentation sur les variétés aujourd'hui existantes. Il renseigne sur les connaissances d'autres spécialistes ainsi que sur ma propre expérience des Delphiniums, avec l'objectif d'être utile à de nombreux amis des plantes et de leur apporter de la joie.

Je voudrais remercier tous ceux qui m'ont apporté leur aide de quelque manière que ce soit. Un grand merci en particulier au Prof. Dr. Joseph Sieber, responsable du Jardin expérimental de plantes vivaces de Weihenstephan qui a mis à ma disposition les résultats de ses longues recherches. Je remercie aussi l'éditeur Monsieur Roland Ulmer d'avoir accepté de réaliser ce livre. Enfin, mes remerciements vont à ma femme Annemarie, première lectrice et "critique", qui a pris part à ce livre en m'aidant de diverses manières.

Bindlach, été 1992
Dr. h.c. Fritz Köhlein

A la mémoire du
Prof. Dr. h.c. Karl Foerster

Table des matières

L'origine de nos Delphiniums

Le Delphinium, appelé communément Pied-d'alouette, ou Dauphinelle dans le cas de certaines annuelles, peuple nos jardins depuis longtemps, quand ce n'est pas depuis le début de l'horticulture. L'intérêt du jardinier s'est d'abord porté sur les plantes utiles comestibles ou sur les plantes médicinales et aromatiques, et le Delphinium n'en était pas, exception faite d'une dauphinelle *(Delphinium ajacis*, appelé aujourd'hui *Consolida ambigua)* qui était mentionnée pour ses qualités thérapeutiques dans quelques vieux livres sur les plantes médicinales, par exemple dans "Le petit jardin de paradis"[1] de 1588 de Konrad Rosbach. On le conseille comme remède à de nombreuses maladies, si nombreuses que leur énumération n'est pas possible dans le cadre de ce livre. Par contre la dauphinelle annuelle n'est pas originaire de nos régions, mais du bassin méditerranéen. De là, elle est arrivée dans les jardins d'Europe Centrale où elle redevient sauvage.

1) *"Paradeißgärtlein"*

Comment le Delphinium est arrivé dans nos jardins

Depuis le début du 16e siècle, certaines plantes furent cultivées dans les jardins seulement pour leur beauté, que ce soit à cause de leur forme, de la couleur de leurs fleurs ou de leur parfum. L'"Hortus Eystettensis" livre un bon document sur les plantes cultivées au 17e siècle. Le prince-évêque de Eichstätt était un botaniste passionné et il fit dessiner les plantes qui poussaient dans ses jardins par Basilius Besler, apothicaire à Nuremberg. Les gravures sur cuivre dépassent, de loin, par leur qualité les livres produits jusqu'alors sur ce sujet. Les images présentées dans l'exemplaire parisien du "Hortus Eystetten", coloriées à la main, sont particulièrement extraordinaires. Cette œuvre est parue en 1613, et a été rééditée en 1713. C'est dans ce livre que l'on trouve pour la première fois la reproduction d'un pied-d'alouette vivace, ne portant pas encore le nom *Delphinium,* mais d'*"Aconitum Lycoctotum flore Delphinij"*, donc de la famille de l'Aconit. C'est là qu'apparaît le terme "Delphinij" qui donna le nom générique de *Delphinium*, à cause de la vague ressemblance de sa fleur avec un dauphin.

La plante qui est représentée dans le "Hortus Eystettensis" est, sans aucun doute, un *Delphinium elatum* (on trouve le *D. elatum* dans la région des Riesengebirge). A côté de cette espèce vivace, donc pérenne, cet ancien traité relate l'existence d'une multitude d'espèces annuelles qui surprend ; elles existent déjà dans les couleurs blanche, bleue et rouge à fleurs simples, semi-doubles et doubles.

D'une part, il y avait un *Delphinium elatum* vivace et, d'autre part, d'innombrables dauphinelles annuelles poussant dans les jardins. Cette proportion ne changea pas pendant longtemps. C'est dans la deuxième moitié du 18e siècle que d'autres espèces vivaces apparurent dans les jardins botaniques et, de là, dans les jardins des princes et des bourgeois aisés. "Le livre de poche de Berger pour les amis des fleurs"[1] de 1805 fait mention d'un

1) *"Bergers Taschenbuch für Blumenfreunde"*

Le *Delphinium Pacific* s'accompagne bien à des *Iris spuria*. Mais alors que le Delphinium doit être divisé et replanté après quelques années, l'Iris peut rester à la même place pendant vingt ans.

seul coup de six espèces de pieds-d'alouette vivaces *(Delphinium elatum, D. exaltatum, D. grandiflorum, D. hybridum, D. puniceum et D. urceolatum)*. En 1820, on peut lire dans Christian Reichart [1] : ''Toutes les sortes vivaces de cette espèce sont des plantes aux belles fleurs qui ne doivent en aucune manière, être absentes des jardins. Elles portent presque toutes des fleurs bleues et sont de taille et de coloris différents, il n'y a que le *D. puniceum* qui a des fleurs rouge brun. On trouve aussi une variante avec des fleurs doubles qui est très belle et semble provenir du *D. intermedium* bien, qu'habituellement, on la considère comme une variante du *D. elatum*. Le *D. grandiflorum* avec des fleurs doubles est encore plus beau mais plus rare.'' Nous avons à faire, à vrai dire, aux premières variétés de pieds-d'alouette vivaces et on ne peut pas encore parler d'obtention nouvelle.

''L'ami du jardin de Wredow'' [2], un ouvrage très lu vers la moitié du 19e siècle, mentionne dans la onzième édition de 1864 un hybride qui fut introduit comme étant le pied-d'alouette de Barlow, *''D. barlowii* Horti''*, une variété peu élevée, se rapprochant plutôt du *D. grandiflorum*.

Le livre évoque de la même manière *''D. formosanum* Horti''* dont on ne sait pas encore aujourd'hui s'il s'agit d'une espèce ou d'un hybride. ''L'ami du jardin'', déjà cité fait remarquer que cet hybride est venu d'Angleterre pour gagner le continent. On pouvait, en premier lieu, le trouver dans le répertoire de la pépinière E.G. Henderson et fils.

Deux espèces de pieds-d'alouette apparurent au 14e siècle dans les jardins. Le livre dont il est quetion plus haut présente *D. cardinale*, rouge carmin, et c'est en 1869 que fut introduit *D. nudicaule* et en 1887 *D. semibarbatum* (= *D. zalil*).

On ne peut pas reconstruire de manière précise l'arbre généalogique de tous les hybrides de Delphinium existant aujourd'hui : on ne peut que l'esquisser de manière approximative. Karl Foerster écrit : ''Les travaux des Anglais et des Français commencèrent à peine avant 1880''. Mais là, il faisait très certainement une erreur car dans le livre de H. Jäger ''Les plus belles plantes pour jardins paysagers et d'ornement, serres et appartements'' [3], on trouve déjà en 1873, une allusion à de nombreuses sortes de ces pays. La variété 'Pompon de Tirlemont' s'associe au *D. elatum* ; une variété française (bleu foncé, double) s'y trouve désignée sous le nom de 'alopecuroides'. A cela, vient s'ajouter une variété avec des fleurs doubles serrées bordées de rouge alors que 'Keteleri' a des fleurs semi-doubles et pour terminer, on énumère encore onze autres variétés. Enfin sous *D. hybridum*, on peut lire ''par cette appellation, on entend tous les pieds-d'alouette vivaces provenant de graines. On y trouve des variétés de grande ou de petite taille, si magnifiques que l'on arrive à se passer des espèces pures ; parmi elles se trouvent de nombreuses sortes aux fleurs doubles''. En plus, l'auteur de l'ouvrage n'a pas pu s'empêcher de faire les louanges, dans un appendice, d'une variété bleu foncé du nom de 'Jules Janin'.

Nous savons aussi que l'anglais James Kelway a fait des essais de cultures à grande échelle à partir de 1859. D'après d'autres sources, il y aurait eu 137 variétés de pieds-d'alouette, à partir de 1889.

Sans aucun doute, le *D. elatum* est le géniteur le plus important des hybrides existant aujourd'hui. La région d'origine de cette espèce devrait se trouver dans les montagnes d'Asie Centrale ; de là, la plante a émigré vers l'Europe et a peuplé sporadiquement les montagnes de Silésie pour avancer jusque dans les Pyrénées. Une plante-mère de seconde importance est *D. grandiflorum* que l'on trouve en Chine de l'Ouest en grandes quantités. Karl Foerster en nomme encore d'autres ; celles-ci étant, en partie, d'origine hybride ou des variantes, je n'ai pas estimé nécessaire de les énumérer pour éviter toute confusion.

1) *''Christian Reicharts Land - und Gartenschatzes, fünfter Teil''*

2) *''Wredows Gartenfreund''*

3) *''Die schönsten Pflanzen des Blumen - und Landschaftsgartens, der Gewächshaüser und Wohnungen''*

Le *Delphinium grandiflorum* qui est à l'origine de la multiplication des pieds-d'alouette, est une espèce que l'on rencontre souvent dans les jardins. On le cultive parfois aussi comme plante annuelle.

Beaux Delphiniums d'Angleterre

Même si l'Allemagne peut être considérée aujourd'hui comme "le pays des pieds-d'alouettes", les principales créations ont eu lieu en France, plus tard en Angleterre et bien peu en Europe Centrale. Certes, la firme allemande créée par W. Pfitzer en 1844 a commencé les cultures de Delphiniums vers le milieu du 19e siècle, mais – puisque les premières obtentions de Karl Foerster sont issues de matériaux anglais plus anciens –, il est utile de s'arrêter un instant sur leur développement en Angleterre. Le premier hybride véritable, 'D, Barlowii' déjà évoqué dans le chapitre précédent fut inscrit, en 1837, dans le répertoire botanique de la "Royal Horticultural Society". Le nom botanique

provient de M. Barlow, un jardinier de Manchester qui créa l'hybride. A cette époque déjà, on admit que les parents étaient *D. grandiflorum* et *D. elatum*. Pourvue de fleurs semi-doubles d'un bleu intense, cette nouveauté se trouva rapidement représentée en Angleterre soit dans les pépinières que dans les jardins.

C'est aux environs de 1850 que les horticulteurs français s'intéressèrent aux pieds-d'alouette, et la fameuse pépinière Lemoine à Nancy, se distingua particulièrement en produisant toute une série d'espèces doubles et semi-doubles. Les fleurs de ces obtentions étaient en général plus petites que celles des hybrides actuels.

Déjà, à cette époque, la palette des couleurs était étendue, il existait des hybrides couleur lavande, bleu ciel, bleu turquoise et mauves, mais aussi des variétés avec des fleurs de plusieurs couleurs. On peut mentionner des variétés bleues avec des nuances de mauve, de rose et de pourpre. L'obtention la plus célèbre de Lemoine fut 'Statuaire Rude'. Introduite en Angleterre, elle reçut beaucoup plus tard (en 1908) le Award of Merit de la Société horticole royale. Ce qui fit sensation, ne fut pas tant sa couleur que sa longue floraison.

On a déjà évoqué l'établissement horticole anglais Kelway. Son large assortiment de pieds d'alouette repose en partie sur des variétés françaises, en partie sur ses propres croisements avec *D. exaltatum, D. formosanum* et *D. grandiflorum*. 'King of the Delphiniums' faisait autrefois partie des espèces les plus connues, que l'on ne pouvait pas ignorer entre le début du siècle et la première guerre mondiale, et même plus tard dans certains catalogues. Colin Edward indique qu'au moins 66 pépinières proposèrent cette variété.

Une autre firme britannique productrice de plantes vivaces ne peut être dissociée du Delphinium. Il s'agit de Blackmore et Langdon qui existe encore aujourd'hui. Tout commença à une petite échelle en 1901 lorsque l'érudit jardinier C.F. Langdon créa une entreprise avec son partenaire J.B. Blackmore. Blackmore venait de terminer un stage auprès d'un amateur de pieds-d'alouette, le révérend E. Lascelle. Les deux pépiniéristes purent donc constituer leurs cultures sur la base d'espèces existantes de première qualité comme 'Statuaire Rude' et 'King of the Delphiniums'.

Déjà avant la première guerre mondiale, les amateurs britanniques avaient obtenu de nouvelles variétés de Delphiniums. Par exemple, Samuel Watkin créa la série 'Wrexham Strain'. Ces variétés sont caractérisées en particulier par leur très grande taille, certaines pouvant même atteindre 3 mètres. En Angleterre, cette capacité de création des amateurs s'ajouta à celle des horticulteurs et leurs succès se sont prolongés jusqu'à l'époque actuelle. Cependant cela n'a pas eu de répercussions sur l'Europe Centrale, car après la première guerre mondiale cette culture a pris là-bas un chemin différent du nôtre.

Karl Foerster et ses Delphiniums

Lorsqu'on suit le développement de la culture du Delphinium, on s'interesse automatiquement à Karl Foerster qui fut jardinier, créateur, écrivain et philosophe, couronné de succès. L'université Humboldt de Berlin reconnut tous ces mérites en l'élevant au grade de docteur h.c. Foerster avec ses variétés a posé les jalons de la multiplication, ce qui est prouvé par le seul fait que certaines de ses obtentions se maintiennent depuis soixante ans (et plus) dans les catalogues allemands. Il ne faut pas oublier ses prédécesseurs dans le domaine de la culture du Delphinium.

Comme on l'a déjà évoqué plus haut, la firme Pfitzer commença à s'intéresser à cette culture dès le milieu du 19e siècle, et réussit à créer une centaine de variétés au cours de plusieurs années. Parmi les pépiniéristes qui s'intéressèrent aussi aux Delphiniums avant la première guerre mondiale, on trouve Nonne et Höpker à Ahrensburg, maison fondée en 1891 ; H. Junge en 1897, et la firme Goos et Koenemann à Niederwalluf (Rheingau) créée en 1886. Cette dernière a eu beaucoup de succès avec ses créations, en particulier avec l'Hybride de D. Belladonna, 'Andenken an Auguste Koenemann', introduit en 1928, qui occupa pendant longtemps un rang de vedette. Parmi toutes ces firmes, seule H. Junge existe encore aujourd'hui à Hameln. C'est en 1917 environ que Karl Foerster commença à multiplier les pieds-d'alouette en introduisant de rigoureux critères.

Il essaya avant tout d'obtenir des couleurs pures, une bonne stabilité, durabilité et résistance à l'oïdium. On peut en suivre le développement dans ses ouvrages. Dans son premier livre intitulé "Plantes vivaces et arbustes persistants des temps modernes" [1] paru en 1911, on trouve les variétés suivantes : 'King of the Delphiniums' (déjà évoqué dans le paragraphe précédent), 'William Storr', 'Queen of the

1) "Winherharte Blütenstauden und Straücher der Neuzeit"

Lilacs', 'Frances Fox', 'Creighton', 'Wichard Gruweholt', 'Goliath', 'Belladonna', 'Brunton', 'Lize van Ween' (plus tard simplement 'Lize'), 'Capri', 'Gertrud', 'Queen Wilhelmina', 'Perrys Favorite', 'Lamartine', 'Moerheim', 'Nulli secundus'. On devrait y trouver aussi les variétés d'origine employées par Foerster pour ses propres obtentions. Il s'agit principalement de variétés britanniques et hollandaises, en plus d'autres de diverses origines.

Dès 1911, Foerster avait sélectionné ses propres variétés, mais il ne les avait pas encore multipliées. Karl Foerster écrit à ce sujet : ''Pour ceux qui veulent suivre avec curiosité, intérêt et passion les progrès de cette plante vivace, je cite déjà quelques vairétés anglaises avant même de les commercialiser, en supprimant toute restriction avenir pour le futur lecteur''. Tout d'abord, est cité 'Arnold Böcklin' avec ses fleurs bleu gentiane. Karl Foerster écrit de sa manière inimitable : ''Le bleu gentiane de 'Arnold Böcklin' est si profond à la lumière du soleil, que cela gêne presque l'œil ; le bleu semble ensuite se dissoudre en chatoiements dans une sorte d'incandescence immatérielle d'un bleu vert velouté''. D'autres sortes de cette série se nommaient 'Beethoven', 'Johannes Brahms', 'Eugen Bracht', 'Mozart', 'Havel', 'Richard Wagner', 'Die Nacht'. Il n'existe plus une seule de ces anciennes variétés, mais le ''sang'' de ces hybrides coule dans de nombreux cultivars actuels.

La publication suivante de Foerster s'intitulait ''Le jardin de fleurs de l'avenir'' [2], et parut en 1917. L'auteur le dédia aux soldats dans les hôpitaux et dans les camps de prisonniers alors que la première guerre mondiale faisait rage. Les variétés étrangères nommées dans le premier livre furent complétées par des sélections d'Angleterre, France, Hollande et Allemagne, comme 'Altkönig', 'Bayard', 'Andenken an August Koenemann', 'Tancred', 'Lohengrin', 'Ramolo', 'Drachenfels', 'Alfred', 'Alake' et 'La France'. Sans se laisser troubler par le chaos de la guerre, Karl Foerster continua à

2) ''Vom Blütengarten der Zukunft''

sélectionner ses Delphiniums. La citation suivante illustre bien son travail de recherche : ''Tous les ans, on sélectionne après quelques semaines d'observation parmi plusieurs milliers de pieds-d'alouette, environ une dizaine de plantes des meilleures espcèces, plantées séparément, dont une ou deux feront vraiment leurs preuves dans les trois ou quatre années qui suivront. L'on va et vient le matin pendant quelque temps dans cette forêt, immobile, de fleurs bleues, pour habituer l'œil à être exigeant, on s'arme de critique et on disparaît dans l'épaisseur des fleurs, d'où ces hauts fanaux de fleurs bleues se détachent pour gagner les profondeurs d'un ciel d'été. Des tons couleur gentiane, turquoise, myosotis, bleu ciel et lilas très foncé ; un emplacement rigoureux à l'abri des tempêtes ; une

Parmi les variétés préférées de l'auteur, on trouve la variété 'Jubelruf', une création de Foerster aux panicules étroites, d'un beau bleu, ici en compagnie d'un semis spontané de Delphinium-Pacific et d'un hybride de Paeonia-Lactiflora 'Santa Fe'.

'Ariel' est une variété récente de Bornim. Sa taille réduite de moins de 150 cm, s'adapte aussi à de petits jardins

disposition agréable des fleurs ; une tige robuste et une résistance à l'oïdium, tels sont les objectifs qu'il faut se donner lorsqu'on veut cultiver ces plantes. Là-bas, à l'arrière-plan, une ombelle bleu clair, dont l'effet à distance est fascinant, se détache sur le ciel d'été bleu vert ; la plante a une étiquette qui porte l'inscription 'Berghimmel' alors que l'étoile de première grandeur porte le nom de 'Morgenlicht'."

On a ainsi un aperçu de l'activité de Foerster à ses débuts et la variété évoquée, 'Berghimmel', commercialisée en 1920, est sa première création qu'on peut d'ailleurs trouver encore aujourd'hui dans le commerce et qui compte toujours parmi les vivaces les plus appréciées : une variété de quatre-vingt ans !

Karl Foerster a cultivé des Delphiniums

jusqu'à un âge avancé. Il a sélectionné d'un œil critique de nombreuses variétés et si des carences se vérifiaient après l'introduction, il en a rigoureusement éliminé les souches fidèle à la devise : "Ce qui n'est qu'à moitié bon, n'est que poison !"

Jusqu'à 1929, date de la quatrième édition revue et corrigée de son premier titre (voir page 14), la liste des Delphiniums s'est fondamentalement transformée et élargie. On évitera ici de faire une énumération des variétés qui n'existent plus, mais quelques points sont cependant très intéressants : 'King of the Delphiniums', cultivé en Angleterre à la fin du 19e siècle, se trouve encore dans cette liste ainsi que 'Andenken an Auguste Koenemann' (Goos et Koenemann) et une des premières variétés de Foerster 'Arnold Böcklin'. 'Gletscherwasser', apparaît pour la première fois en 1928 et fait partie encore aujourd'hui de l'assortiment standard. Il a d'ailleurs le droit de cité dans mon jardin depuis plus de trente ans.

Parmi les innombrables obtentions de Foerster, toute une série de variétés fait encore partie de l'assortiment standard actuel (voir tableau).

Voici les variétés obtenues par Foerster qui font encore partie de l'assortiment actuel (suivant l'ordre introduction).

En plus de cette sélection choisie, on trouve aussi dans le commerce :

	Année d'introduction (1)	Appréciation
'Berghimmel'	1920	*
'Gletscherwasser'	1928	Va
'Traumulus'	1931 (1935)	Va
'Fernzünder'	1936 (1931)	**
'Finsteraarhorn'	1936	**
'Tempelgong'	1936	Va
'Perlmutterbaum'	1938 (1931)	**
'Frühschein'	1955	*
'Jubelruf'	1956	**
'Ouvertüre'	1956 (1936)	**
'Zauberflöte'	1956 (1955)	**
'Blauwal'	1957	**
'Sternennacht'	1961	*
'Kleine Nachtmusik'	1964 (1936)	Va
'Abgesang'	1967	**
'Ariel'	1967	**
'Merlin'	1967 (1929)	*
'Azurzwerg'	1972	**

'Azurriese' (1949)
'Dämmerung' (avant 1985)
'Klingsor'
'Malvine'
'Morgentau' (avant 1985)
'Nachtwache' (avant 1985)
'Oberon' (1939 ?)
'Rosenquarz' (avant 1985)
'Tropennacht' (1955)

(1) D'après les données du Jardin expérimental des plantes vivaces''. Entre parenthèses les années indiquées dans l'''Index Hortensis''.
* = variété intéressante
** = variété très intéressante
Va = variété pour amateur

Quelques notions de botanique

Les genres *Delphinium* et *Consolida* font partie de la famille des Renonculacées. Comme pour beaucoup de genres, il n'est pas possible de donner le nombre exact des espèces existantes, leur statut étant en élaboration, mais on peut dire que le genre *Delphinium* en comprend de 360 à 400, ou même plus. Ce sont des plantes vivaces ou annuelles que l'on trouve dans l'hémisphère nord tempéré et en Asie. Il existe un groupe à part, pour sa morphologie, dans les montagnes d'Afrique tropicale, jusqu'au Kilimandjaro. Les premières espèces du genre *Consolida* englobées dans le genre *Delphinium*, furent dissociées et obtinrent un statut d'espèce se différenciant par l'absence de pétales latérales.

Les espèces du genre *Delphinium* ont un port dressé et sont plus ou moins ramifiées. Les feuilles sont digitiformes à palmiformes et souvent très découpées. Les fleurs sont hermaphrodites et zygomorphes, c'est-à-dire qu'elles se divisent en deux moitiés semblables, telle une image inversée. Elles se réunissent en grappes ou en panicules terminales et latérales, lâches, plus ou moins denses. Les cinq sépales ne peuvent pas être identifiés comme tels par le profane, car ils ont la forme de pétales : les surfaces de couleur, la plupart du temps bleues, sont des sépales. Les quatre sépales inférieurs ont une forme ovoïde et le sépale supérieur, à l'arrière, se prolonge en un long éperon séparé et tubulaire. Les parties visibles des pétales sont de la même couleur différente. Les graines sont souvent triangulaires, noires et bordées d'écailles circulaires, disposées sur deux rangées, en follicules à plusieurs graines.

Les botanistes distinguent trois sections : Delphinastrum qui comprend les espèces à plantes pérennes ; Delphinium avec la plupart des espèces annuelles et bisannuelles ; Staphisagria avec également quelques espèces annuelles et bisannuelles.

A gauche : coupe transversale d'une fleur. Au milieu : aperçu des sépales, pétales et des étamines. A droite : aperçu de l'ovaire, du pistil et des stigmates.

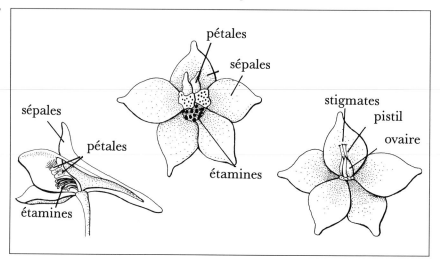

Les variétés actuelles

Comme nous l'avons déjà vu précédemment, la multiplication du pied-d'alouette a commencé avec quelques essais sporadiques de croisement ; elle progressa lentement et on la pratique actuellement à grande échelle dans les pépinières.

Au 20e siècle, la culture devint intensive en particulier en Angleterre, en Allemagne et aux Pays-Bas. De plus, à l'ouest des Etats-Unis on trouve des souches de Delphinium Pacific qui se multiplient par semis.

Les buts poursuivis étaient et restent très différents selon les pays et c'est pour cette raison que le développement et l'amélioration des variétés n'est pas homogène. Il convient donc d'étudier les différentes variétés pays par pays.

Ce n'est que depuis peu que l'on note un intérêt réciproque entre obtenteurs de divers pays.

Il faut souligner aussi le nombre de variétés utilisées en fleurs coupées pour les concours en Angleterre, ce qui n'a pas le même intérêt chez nous. Dans ce pays, des espèces sont spécialement cultivées dans ce but.

Le Delphinium dans les principaux pays de production

Allemagne

On a déjà souligné dans le chapitre précédent le rôle important qu'à joué Karl Foerster dans la culture du Delphinium. Après la première guerre mondiale, alors que Karl Koerster poursuit ses activités d'obtenteur, d'autres pépiniéristes commencent à s'intéresser à cette plante et remportent de grands succès.

Les fameux établissements Kayser et Seibert ("Odenwälder Pflanzenkulturen") de Rossdorf près de Darmstadt (propriétaire Karl Seibert) furent parmi les premières pépinières à mettre sur le marché des variétés précieuses. Leurs critères de sélection étaient les mêmes que ceux de Karl Foerster et il en résulta des obtentions idéales pour le climat d'Europe Centrale. 'Schildknappe' (dans mon jardin depuis vingt ans) et 'Sommernachtstraum' sont des variétés haut de gamme. Evoquons aussi

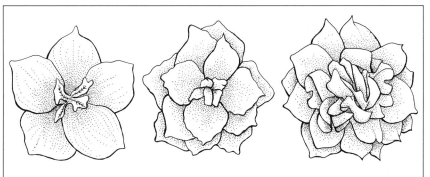

Fleurs de différentes variétés de Delphiniums. De gauche à droite : fleur simple, semi-double et double.

A droite : voici une variété très ancienne, 'Tropennacht' avec des lis 'Connecticut King' (hybride asiatique). Le bleu et le jaune s'harmonisent bien dans un jardin. Le meilleur avantage de cette rencontre : le pied-d'alouette absorbe toute l'humidité que les bulbes du lis n'aiment pas. A l'arrière-plan : 'Sommernachtstraum'

'Reinweiß' puisqu'à cette époque il n'y avait pas encore de Delphinium blanc parmi les sélections et l'introduction de cette variété fut relativement stable. 'Lanzenträger', 'Sommerabend' et 'Sommerwind' suivirent.

A cela s'ajoutèrent d'autres obtenteurs comme Heinz Klose de Lohfelden, près de Kassel, qui commença à créer de nombreuses plantes vivaces. Ses obtentions de Delphiniums les plus connues sont 'Blaustrahl', 'Firnglanz', 'Edersee', 'Grünberg', 'Polarnacht', 'Schloß Wilhelmshöhe', 'Waldenburg', 'Werratal'. Les pépinières Fuss de Königslutter (avec les variétés 'Elmfreude' et 'Elmhimmel'), Pagels de Leer ('Adria', 'Bully'), Neis de Angermund ('Junior'),

Kuhlwein ('Abendleuchten') et Marx de Pettstadt, près de Bamberg, ('Vierzehnheiligen') remportèrent aussi de beaux succès. On doit aussi évoquer l'obtention à fleurs blanches de Fritz Kummert de Rollsdorf en Autriche ('Schneespeer'). La plupart des variétés citées ici ont passé avec succès la sélection officielle.

Le tableau de classification ci-contre a été dressé par le Prof. Dr. Josef Sieber. Les pépiniéristes de plantes vivaces aussi bien que les jardiniers amateurs devraient se servir de ce tableau, fruit d'une observation de plusieurs années, afin d'éviter toute déception. On y trouve aussi des informations importantes sur la couleur des fleurs, la floraison, la hauteur et autres propriétés.

Evaluation des Hybrides de *Delphinium*-Elatum (*D.* × *cultorum* Voss.) dans le Jardin expérimental (tableau extrait du livre ''Die Sichtung der Stauden'' de Sieber)

Variété	Evaluation 1)	Plantes par groupe et espacement entre les plantes	Hauteur en cm	Floraison juin-juillet et septembre-octobre	Couleur des fleurs	Remarques
'Abend-leuchten' (Kuhlwein 1966)	**	1-3 70 cm	150	mi-été	violet/brun	couleur élégante particulière
'Abgesang' (Foerster 1967)	**	1-3 70 cm	160	tardif	violet bleu/ blanc	espèce très tardive
'Adria' (Pagels 1952)	A	1-3 80 cm	140	mi-été	bleu outremer soutenu bleu/blanc	couleur lumineuse ; bonne remontée
'Ariel' (Foerster 1967)	**	1-3 70 cm	150	mi-tardif	bleu clair	récemment classé
'Azurzwerg' (Foerster 1972)	**	1-3 60 cm	120	mi-tardif	bleu/blanc lumineux	très résistant
'Berghimmel' (Foerster 1920)	**	1-3 80 cm	180	hâtif	bleu clair/ blanc	inflorescence élancée
'Blauwal' (Foerster 1957)	**	1-3 80 cm	180	mi-hâtif	bleu outre-mer/brun foncé	inflorescence dense
'Blaustrahl' (Klose 1974)	* (11/87) 1)	1-3 80 cm	100/ 160	tardif	bleu azur, mouche noire	nombreuses fleurs ; bonne remontée
'Bully' (Pagels 1949)	A	1-3 70 cm	130	mi-été	bleu moyen/ brun	dense ; petite taille
'Elmfreude' (Fuß 1976)	* Fc (14/86)	1-3 80 cm	75/ 150	tardif	bleu violet foncé/blanc	fleurs ''baroques'' Type Pacific vivace pour fleurs coupées
'Elm-himmel' (Fuß 1978)	* Fc (14/86)	1-3 80 cm	80/ 150	tardif	bleu ciel	résistant tardif ; feuilles à lobe
'Fernzünder' (Foerster 1936)	**	1-3 70 cm	140	mi-été	bleu/blanc lumineux	inflores-cence élancée
'Finsteraar-horn' (Foerster 1936)	**	1-3 70 cm	160	mi-tardif	bleu violet profond brun	certificat délivré par le DGG

Variété	Evaluation 1)	Plantes par groupe et espacement entre les plantes	Hauteur en cm	Floraison juin-juillet et septembre-octobre	Couleur des fleurs	Remarques
'Frühschein' (Foerster 1955)	*	1-3 70 cm	150	hâtif	bleu clair rose/noir	variété précoce renommée
'Gletscher-wasser' (Foerster 1928)	A	1-3 80 cm	160	mi-hâtif	bleu clair/ blanc	forte croissance ; longue floraison
'Jubelruf' (Foerster 1956)	**	1-3 80 cm	180	mi-tardif	bleu outremer/ blanc	inflores-cences très élan-cées ; semi-doubles
'Junior' (Neis 1966)	*	1-3 70 cm	160	mi-été	bleu clair/ foncé	résistant, pas très élevé
'Lanzen-träger' (Kayser et Seibert 1964)	***	1-3 80 cm	180	mi-tardif	bleu gentiane/ blanc	fleurs coupées croissance rapide et résistante
'Merlin' (Foerster 1967)	*	1-3 80 cm	170	mi-tardif	bleu clair/ blanc	grosses fleurs ; résistant
'Ouvertüre' (Foerster 1956)	**	1-3 70 cm	160	hâtif	bleu moyen avec rose/ brun foncé	très précoce
'Perlmut-terbaum' (Foerster 1938)	**	1-3 80 cm	170	mi-tardif	bleu clair avec rose/ brun foncé	couleurs irisées Certificat de la DGG
'Polarnacht' (Klose 1982)	*** (14/86)	1-3 80 cm	50/ 150	tardif	bleu gentiane profond/ blanc	résistant ; inflorescen-ces lâches ; remontant
'Schildknappe' (Kayser et Seibert 1949)	**	1-3 80 cm	160	mi-été	bleu violet soutenu/ blanc	légèrement semi-double
'Schneespeer' (Kummert 1980)	A	1-3 60 cm	140	mi-été	blanc verdâtre/ blanc	à Weihen-stephan faible croissance
'Schönbuch' (Ernst 1947)	A	1-3 60 cm	130	mi-été	bleu clair, nuancé de violet	mi-double ; craint l'oïdium
'Sommer-abend' (Kayser et Seibert 1978)	* (9/88)	1-3 70 cm	70/ 160	mi-été	bleu moyen/ foncé	panicule étroite érigée ; résistant

En haut à gauche : 'Zauberflöte' ; un cultivar de Foerster à floraison tardive.

En haut à droite : Dans l'assortiment anglais, on trouve en plus des variétés bleues, des variétés très demandées violettes. Ici : 'Abendleuchten'.

Au milieu à gauche : les plantes vivaces sont peu représentées sur l'île de Mainau, à l'exception des Delphiniums.

Au milieu à droite : l'hybride de *Delphinium elatum* 'Blauwal' se remarque par son inflorescence dense. Une forme imposante d'1,80 m de haut.

En bas à gauche : 'Gletscherwasser' toujours aussi apprécié, a des couleurs qui se marient bien avec le jaune de *Anthemis tinctoria*.

En bas à droite : on trouve de beaux parterres de pieds-d'alouette dans le jardin d'essai Burgsteinfurth, en Westphalie. Des roses grimpantes et des hybrides d'*Eremurus* forment un cadre agréable.

Variété	Evaluation 1)	Plantes par groupe et espacement entre les plantes	Hauteur en cm	Floraison juin-juillet et septembre-octobre	Couleur des fleurs	Remarques
'Sommer-nachtstraum' (Kayser et Seibert 1959)	***	1-3 60 cm	130	hâtif	bleu violet foncé/noir	variété de petite taille bien connue, d'un bleu violet profond
'Sommer-wind' (Kayser et Seibert 1969)	**	1-3 80 cm	160	mi-tardif	bleu clair/ blanc	sélectionné récemment
'Sternen-nacht' (Foers ter 1961)	*	1-3 70 cm	150	mi-tardif	bleu gentiane profond/ blanc	sélectionné récemment
'Tempel-gong' (Foerster 1936)	A	1-3 80 cm	160	mi-hâtif	bleu violet/ foncé	couleur profonde particulière/ semi-double
'Traumulus' (Foerster 1935)	A	1-3 80 cm	170	mi-été	bleu moyen/ blanc	pas toujours authentique
'Waldenburg' (Klose 1972)	**	1-3 70 cm	150	mi-été	bleu foncé/ noir	sélectionné récemment
'Zauber-flöte' (Foerster 1956)	**	1-3 70 cm	170	mi-été	bleu outremer avec rose/blanc	couleur chatoyante ; élancé

1) (ex 11/87) chiffre de classement et année de sélection

* = variété intéressante
** = variété très intéressante
*** = variété excellente
A = variété pour amateur
Fc = bonne plante vivace pour fleurs coupées

A part les variétés ici mentionnées, on trouve de nombreuses autres variétés dans les pépinières et dans le commerce. La liste qui suit, ne prétend pas être exhaustive, mais elle donne une bonne idée de l'assortiment. Le nom de l'obtenteur, lorsqu'il est connu, se trouve entre parenthèses à côté de la variété.

'Amorspeer' (Nonne et Höpker) bleu lavande foncé, double.

'Azurriese' (Foerster 1949) variété élevée (2 m). Bleu azur, mouche blanche.

'Blaustrumpf'. 150 cm de haut. Bleu moyen.

'Blue Beauty'. 150 cm de haut. Bleu clair.

'Dämmerung' (Karl Foerster). Environ 160 cm de haut. Bleu foncé avec une lueur rose, mouche brune.

'Firnglanz' (Heinz Klose 1991). Variété élevée (180 cm). Bleu clair, mouche noire.

'Grünberg' (Heinz Klose 1972) 150 cm de haut. Bleu violet, mouche noire.

'Himmelsvorbote', 170 cm de haut. Bleu clair.

'Klingsor' (Karl Foerster). Bleu ciel, touches de rose tendre, semi-double. Espèce splendide.

'Malvine' (Karl Foerster), taille élevée (180 cm). Rose améthyste, bordée de bleu, mouche brune. Dense, grandes panicules.

'Minnelied', taille élevée (180 cm). Bleu clair.

'Mittelmeer', 140 cm de haut. Bleu profond, avec mouche noire.

'Morgentau' (Karl Foerster), 140 cm de haut. Bleu clair, mouche noire.

'Mozart' (Zur Linden), 150 cm de haut. Lilas, mouche blanche. Du même nom, il y avait déjà une création de Karl Foerster (1911) et une du britannique Hewitt (1930).

'Nachtwache' (Karl Foerster), taille élevée, 180 cm, bleu violet, mouche blanche semi-double.

'Neptun' (Weinreich avant 1986). Environ 1 m de haut. Bleu clair, mouche noire.

'Oberon' (Karl Foerster), taille élevée (180 cm). Bleu clair, mouche blanche.

'Parsifal', taille élevée (180 cm). Blanc, mouche noire.

'Rosenquarz' (Karl Foerster), 150 cm de haut. Bleu clair, avec touches de rose.

'Schloß Wilhelmshöhe' (Heinz Klose 1977), taille élevée (180). Bleu moyen, mouche noire.

'Schönbuch' (A. Ernst 1947), 150 cm de haut. Bleu moyen.

'Sopran', 170 cm de haut. Bleu glacier.

'Tropennacht' (Karl Foerster), 170 cm de haut. Bleu gentiane, mouche blanche. Remonte bien.

'Ulrike zur Linden', (Zur Linden), 160 cm de haut : blanc, semi-double.

'Vierzehnheiligen' (Marx), 160-170 cm de haut, bleu très foncé. Remonte bien.

'Wassermann', taille élevée (180 cm). Bleu clair.

Dans cette liste se trouvent à côté des variétés locales et pour amateur, des nouvelles obtentions pas encore reconnues.

Grande-Bretagne

Bien que, comme nous l'avons déjà dit, peu de variétés anglaises soient vendues en Allemagne, nous voulons analyser ici la

Cet Hybride de petite taille de *Delphinium* Elatum de Weinreich s'appelle 'Neptune'. Les fleurs sont bleu clair et avec une mouche noire.

Depuis plusieurs décennies, la culture du Delphinium se développe différemment en Grande-Bretagne et en Allemagne. Les hybrides anglais se caractérisent par leurs grands panicules à fleurs uniques, souvent très doubles. Ils ont besoin de tuteurs plus que les variétés allemandes. La photo présente des plantations expérimentales dans les jardins de Wisley.

situation de la recherche au Royaume-Uni, étant donné surtout que les relations entre les deux pays deviennent plus étroites, même sur le plan horticole. Le *Delphinium* est une plante très appréciée en Grande-Bretagne et il existe depuis longtemps une société d'amateurs (British Delphinium Society, 11, Long Grove, Seer Green, Beaconsfield/Bucks.).

Des jardiniers amateurs venant de tous les pays d'Europe visitent tous les ans le jardin de la Royal Horticultural Society (RHS) à Wisley, où l'on peut voir à côté d'autres plantes vivaces de nombreuses variétés de *Delphinium*. Ci-dessous la liste des variétés britanniques les plus connues. Il n'est pas exclu de tester ces plantes dans des conditions atmosphériques différentes. Nous ne donnons pas ici d'appréciation : seules les espèces qui ont obtenu à Wisley le ''First Class Certificate'', sont suivies d'une étoile.

'Alice Artindale'. Obtention ancienne, quelque peu inhabituelle, appréciée des botanistes. Mauve tirant sur le rose, bordée de bleu, double.

'Anne Page'. Variété ancienne, couleur de bleuet, mouche noire.

'Antares', Variété rose foncé, d'un ton très profond.

'Apollo'. Grande, couleur améthyste et pourpre, mouche brune.

'Baby Doll'. Plante basse (120 cm), adaptée aux petits jardins. Mauve clair, mouche blanche.

'Blue Dawn'. Haute taille. Bleu ciel, saupoudré d'un léger rose, petite mouche noire.

'Blue Jade'. Petite taille. Fleurs bleu pastel, mouche brune.

'Blue Nile'. Bleu moyen brillant, mouche blanche. Variété imposante.*

'Blue Tit'. Variété naine, 150 cm de haut. Bleu indigo, mouche blanche.*

'Bruce', 180 cm de haut. Violet pourpre, mouche brune foncée. Associer à l'*Hemerocallis* jaune.*

'Butterball', 135 cm de haut. Bonne variété nouvelle, couleur crème. La grappe de fleurs est plus courte et moins pointue.

'Can Can'. Couleur un peu singulière, combinaison de mauve tirant sur le rose avec du bleu.

'Cassius'. Tons très contrastés, violet, mouche blanche. Robuste.

'Celon'. Haute taille. Violet clair, mouche blanche. Longues grappes de fleurs.

'Charles Gregory Broan'. Petite taille. Bleu clair, mouche blanche. Excellente plante de jardin.

'Chelsea Star'. Fleur d'un beau violet pourpre velouté, mouche blanche. Bonne pour fleur coupée.*

'Cherub'. Mauve clair tirant sur le rose. Petite ressemblance avec 'Turkish Delight'.

'Cinderella'. Petite taille. Mauve héliotrope, mouche foncée.

'Claire'. Introduction récente. Rose clair, mouche blanche rosée. La ramification latérale fleurit en même temps que la panicule principale.

'Clifford Pink'. Rose profond mouche blanc crème. Belle création récente.

'Conspicous'. Une des rares variétés à mouche noire contrastée. Fleurs arrondies mauve clair, mouche brune.*

'Cream Cracker'. Impression d'ensemble jaunâtre, mouche jaune vif. Imposant ; la plus tardive des variétés de cette couleur.

'Cristella'. Bleu moyen, mouche blanche. Très hâtif.

'Crown Jewel'. 150 cm de haut. Fleurs d'un bleu moyen, à mouche noire.*

'Cupid'. Un peu plus d'un mètre de haut. Fleurs d'un bleu ciel clair, mouche noire.*

'Daily Express'. Bleu ciel, mouche noire homogène.

'Demavand'. Une des célèbres créations de couleur blanche.

'Dolly Bird'. 150 cm de haut, mauve clair, mouche blanche.

'Emily Hawkins'. Lavande clair.*

'Fanfare'. Mauve argenté, mouche blanche. Hâtif.*

'Faust'. Bleu foncé. Bonne variété pour le jardin.*

'Fenella'. Bleu gentiane, mouche noire à tâches pourpres.

'Garden Party'. Rose pâle avec quelques touches plus sombres, mouche blanche.

'Gillian Dallas'. Fleurs bleu lavande clair, mouche blanche aux contours violets. Belle variété pour jardin.*

'Giotto'. Nouvelle obtention. Fleurs un peu pâles, mauves à l'intérieur, bleu à l'extérieur avec mouche d'un œil brun lumineux.

'Gordon Fosyth'. Couleur améthyste claire, mouche foncée avec centre plus lumineux. Belle variété pour jardin.*

'Gossamer'. Bleu-mauve pâle avec coloration verte voyante.

'Guy Langdon'. Cultivé déjà en 1957. Pourpre royal, mouche rayée de blanc. Vivace. *

'Harmony'. Taille moyenne. Couleur héliotrope, mouche foncée. Mi-tardif.

'Hilda Lucas'. Mauve tirant sur le rose, aux bords bleus et blancs. Très tardif.

'Icecap'. Fleurit très tôt, blanc pur ; ne dure pas très longtemps. Couper les boutures à temps.

'Iona'. Blanc, mouche noire.

'Judy Knight'. Présente une couleur rare mauve lavande, mouche contrastée.

'Kathleen Cooke'. Beau bleu, mouche blanche.

'Langdon's Royal Flush'. Seulement 135 cm de haut, rose profond, mouche blanche. Belles grappes de fleurs symétriques.

'Layla'. Nouvelle obtention d'une couleur inhabituelle, crème à mouche brun-jaune.

'Leonora'. Bleu de Chine, mouche blanche voyante. Imposant.

'Lilian Basset'. Blanc, mouche noire voyante. Variété idéale pour jardin.

'Loch Katrine'. Bleu gentiane, avec quelques nuances de violet pourpre, mouche noire.

'Loch Leven'. Bleu moyen tendre, mouche blanche.*

'Loch Lemond'. Bleu soutenu, mouche blanche. Hâtif.

'Loch Maree'. Bleu pur, mouche noire.

'Loch Morar'. Bleu pur, mouche blanche. Mi-hâtif.

'Loch Ness'. Bleu gentiane, mouche brune foncée à noire. Hâtif.

'Loch Nevis'. Grande taille. Bleu moyen, mouche blanche.*

'Loch Torridon'. Petite taille. Bleu clair, mouche blanche. Tardiflore. Très résistant.

'Lord Butler'. Petite taille, seulement 1,35 cm. Bleu pâle, mouche blanche.

'Marie Broan'. mauve lavande, mouche foncée.

'Michael Ayres'. Fleurit d'un beau mauve, mouche noire.

'Mighty Atom'. Imposant, mais de petite taille. Couleur d'un bleu lavande profond. D'un effet particulièrement beau à côté de plantes à fleurs blanches.*

'Min'. Nouvelle variété robuste avec fleurs pâles de couleur lavande.

'Moonbeam'. Blanc pur. Important, sa couleur pouvant agréablement s'associer à d'autres.

'Morning Cloud'. Bleu pâle, recouvert d'un léger rose, mouche brun-chevreuil.

'Nimrod'. Grappes de fleurs étroites sur de solides tiges, d'un violet pourpre splendide, un peu plus clair au centre ; les côtés extérieurs des pétales présentent une trace bleu roi.

'Olive Poppleton'. Belle plante à fleurs blanches ; contraste avec la mouche couleur miel.*

'Panda'. Blanc, mouche noire. Mi-tardif.

'Pericles'. Bleu moyen, mouche blanche. Hâtif.

'Pink Ruffles'. Fleurs doubles d'un rose très pâle.

'Purple Ruffles'. Grande taille. Violet foncé ; doubles grappes de fleurs pyramidales.

'Rona'. Ensemble d'un blanc verdâtre, mouche blanche.

'Rosemary Brock'. Une des meilleures variétés rose, d'un ton sombre dégradé sur le bord, avec mouche brune, nuancée de rose, et poils d'un jaune soutenu.

'Rosina'. Rose profond, sombre avec mouche blanche.

'Royal Flush'. la plus imposante des variétés rose foncé. Grandes grappes de fleurs à large base.

'Sabrina'. Seulement 120 cm de haut. Bleu pur, mouche blanche. Hâtif.

'Sabu'. Grande taille. Très grandes grappes de fleurs d'un violet pourpre très foncé.

'Sandpiper'. Grappes de fleurs blanches. Mouche d'un noir profond. Hâtif.*

'Savrola'. Grande taille. Bleu violet-prune, mouche brune.

'Sentinel'. Grande taille (jusqu'à 210 cm), cependant très stable. Violet pourpre profond, mouche noire et dorée.

'Shimmer'. 180 cm de haut. Fleurs magnifiques d'un bleu moyen, mouche blanche.

'Silver Jubilee'. Blanc, mouche noire.

'Silver Moon'. Mauve argenté avec mouche blanche. A des inflorescences plutôt pyramidales.*

'Skyline'. Bleu ciel d'été, mouche d'un bleu plus profond.

'Snowdon'. Floraison relativement courte. Blanc avec mouche couleur de miel.*

'Spindrift'. Tons divers, difficiles à définir, allant du bleu au turquoise.

'Strawberry Fair'. 150 cm de haut. Rose framboise, mouche blanche.

'Summer Wine'. Rose sombre moyen, mouche blanche.

'Sungleam'. 150 cm de haut. Couleur crème. A différence des autres obtentions de cette couleur, il pousse relativement facilement.

'Swan Lake'. Blanc, mouche noire. Le plus hâtif parmi ceux du même type.

'Thundercloud'. Violet pourpre profond, mouche noire. Un peu foncé : a besoin qu'on lui associe des plantes de couleur claire.

'Tiddles'. 150 cm de haut, mais avec inflorescence relativement courte. D'un ton mauve-ardoise.*

'Tiny Tim'. Petite variété, 100-150 cm. Bleu profond avec une touche de mauve.

'Turkish Delight'. Mauve lumineux, mouche blanche, si bien que l'ensemble paraît rose pâle.*

'Vespers'. Bleu et mauve, mouche blanche.

Si l'on considère l'éventail de pieds-d'alouette d'origine anglaise, on est étonné du grand nombre de variétés, qui dépasse de loin celui d'Europe Centrale. On remarque aussi que les Anglo-saxons ont une préférence pour les tons de couleur lavande, mauve et violette, qui pourraient être considérés ailleurs un peu délavés. Comme on l'a déjà évoqué au début, les espèces britanniques ne sont pas, la plupart du temps, appropriées au climat d'Europe continentale (il y a cependant des exceptions) et normalement jardiniers et amateurs préfèrent les variétés sélectionnés chez eux, pour s'épargner plus tard toute sorte de déceptions.

L'assortiment britannique est important à cause de sa large palette de couleurs. Alors qu'en Allemagne, par exemple, il n'existe qu'une seule variété de couleur blanche, on en trouve un choix important chez les Anglais. On dispose aussi, chez eux, de variétés jaune crème, même si elles présentent parfois quelques carences.

Les nombreuses créations roses sont aussi attirantes. Il faut considérer qu'en Grande-Bretagne, les concours et les expositions jouent un grand rôle. Dans le commerce on trouve quelques Delphiniums qui sont cultivés spécialement dans ce but et présentent, peut-être, quelques faiblesses lors d'une plantation au jardin.

Pays-Bas

Depuis toujours, le pied-d'alouette a été utilisé pour la multiplication. Plus tard, on s'est principalement concentré sur les *Delphinium* de couleurs différentes, soit rouge et jaune où l'on a obtenu quelques succès importants. Souvenons-nous de *D.* × *ruysii* 'Rosa Überraschung'. Il y a peu de temps, on a réalisé des hybrides 'University' à Wageningen. Les botanistes hollandais font des recherches pour obtenir des pieds-d'alouette à fleurs jaunes. On en reparlera dans le paragraphe ''Delphiniums d'autres couleurs'', page 32.

Delphinium Belladonna

Pour comprendre cette notion (qui ne signifie pas autre chose que ''Delphinium belle femme''), il faut étudier de plus près toute la classification des hybrides. On distingue aujourd'hui essentiellement trois groupes parmi les Delphiniums vivaces.

C'est là qu'on trouve les **Hybrides** du **Delphinium-Elatum** (autrefois *D.* × *cultorum Voss*) avec leurs hautes hampes élancées, denses et droites. La multiplication végétative s'impose pour ces variétés. Les graines ne donneraient qu'un assortiment de formes et de couleurs dont, dans la plupart des cas, la qualité serait bien inférieure à celle des parents. L'évolution de la culture, d'une part en Grande-Bretagne et de l'autre en Allemagne, a divergé quelque peu (voir page 12), ce qui a conduit à des types différents.

Etant donné que la multiplication végétative exige plus de travail que celle générative, on a développé aux Etats-Unis, les **Hybrides-Pacific** pouvant être reproduits par multiplication générative. Il y a quelques variétés de couleur, dont les semis donnent une culture complètement uniforme. Elles ressemblent, dans leur structure, aux hybrides du *Delphinium*-Elatum.

Le troisième groupe est constitué par un type à part apparu très tôt : ce sont les **Hybrides-Belladonna** (autrefois *Delphinium* × *belladonna*). Les variétés de ce groupe restent de très petite taille et présentent une inflorescence qui ressort bien, la ramification des panicules est lâche et peu dense. On applique la multiplication

Différentes formes des panicules des Hybrides du *Delphinium*-Elatum (à gauche) et des Hybrides du *Delphinium*-Belladonna (à droite).

Cet hybride de *Delphinium*-Belladonna 'Piccolo' séduit par son bleu profond. Ici en compagnie de la rose 'Mrs. John Laing' et du *Chrysanthemum maximum* 'Silberprinzeßchen' (aujourd'hui son nom botanique correct est *Leucanthemum maximum*).

végétative à la plupart de ces espèces, au moins en ce qui concerne les espèces sélectionnées. A côté de cela, il y a aussi quelques variétés que l'on peut multiplier par semis dont certaines ont des couleurs chatoyantes.

L'origine de ce dernier groupe n'est pas connue et il existe différentes théories. D'un côté, on suppose que ces hybrides résultent du croisement entre *D. elatum* et *D. grandiflorum*. Une autre théorie soutient que *D. cheilantum* fait partie des parents (ce qui est probable). Karl Foerster y fait allusion dans son livre "Plantes vivaces et arbustes des temps modernes"[1]. Dans le passage concernant les Delphiniums bleu clair, il présente un hybride qui porte le nom de 'Belladonna' et ajoute : "culture améri-

1) *"Winberharte Blütenstauden und Sträucher der Neuzeit", déjà cité.*

caine de 1890, le premier pied-d'alouette remontant, de constitution malheureusement fragile".

Il est établi que certaines variétés de ce type existaient depuis longtemps, avant même que le nom de Delphinium Belladonna ne désigne tout le groupe. D'autres sources affirment que certains types de Belladonna auraient fait partie de la sélection de 1889. La variété dénommée 'Lamartine', introduite par Lemoine en 1903 aurait déjà été considérée comme un Delphinium Belladonna.

D'autres auteurs supposent que les Delphiniums Belladonna trouvent leur origine dans les Pays-Bas et en particulier dans les pépinières Moerheim à Dedemswart. Il y aurait eu à la fin du siècle un changement de nom en *D. moerheimi* (plus tard 'Moerheimii'). Lorsqu'on plantait cinq pousses de cette plante, on en obtenait quatre blan-

Evaluation des Hybrides de Belladonna dans le Jardin expérimental (d'après "Die Sichtung der Stauden" de Sieber).

Variété	Evaluation	Plantes par groupe et espacement entre les plantes	Hauteur en cm	Floraison juin-juillet et septembre-octobre	Couleur des fleurs	Remarques
'Kleine Nachtmusik' (Foerster 1964)	A	1-3 50 cm	100	mi-hâtif	bleu gentiane	croissance modeste
'Moerheimii' (Ruys 1909)	A	1-3 55 cm	120	mi-hâtif	blanc/ jaunâtre	bel effet dû à son œil jaune
'Piccolo' (Weinreich 1972)	***	1-3 50 cm	100	mi-été	bleu outremer /blanc	couleur profonde et brillante
'Völker-frieden' (Hillrich/ Späth 1942)	*** Fc	1-3 60 cm	120	mi-été	bleu outremer profond/ blanc	précieux pour fleurs coupées

*** = variété excellente
A = variété pour amateurs
Fc = plante vivace pour fleurs coupées

ches et une bleu clair. La reproduction végétative des plantes fleurissant en bleu est à l'origine d'une autre variété qui s'affirma pendant plusieurs décennies sous le nom de 'Capri'.

Karl Foerster n'utilisa la définition de Delphinium-Belladonna pour ces hybrides un peu lâches, qu'après 1930 environ. Cette expression est aussi introduite par certains auteurs comme Bergmans (1924).

Le pied-d'alouette Belladonna est, en tout cas, un enrichissement dans la gamme des *Delphinium*, pouvant croître sans problèmes dans des endroits sombres.

Le tableau donne la liste des variétés d'Hybrides de Belladonna sélectionnés.

Mais les catalogues anglais et allemands citent en plus les variétés suivantes :

'Andenken an August Koenemann' connu en Angleterre sous le nom de 'Wendy'. 80 à 100 cm de haut. Bleu cobalt.

'Atlantis' (Jardin de plantes vivaces de Bornim). Nouvelle variété très appréciée. 80 à 100 cm de haut. Fleurit tôt (juin à août) avec un ton violet profond. Fleurs arrondies, tiges rigides. Remontant.

'Ballkleid' (Jardin de plantes vivaces de Bornim). Nouvelle variété bien notée. 120 cm de haut. Introduit le ton bleu clair dans le groupe des Belladonna. Inflorescences de longueur moyenne ; très bien comme fleur à couper. Juin-Août. Remontant.

'Blues Bees' (Bees Nursery 1920). 90 cm de haut. Bleu pâle, mouche blanche. Hâtif.

'Capri' (Ruys 1910). 80 cm de haut. Bleu ciel avec mouche blanche. Hâtif.

'Lamartine' (Lemoine 1903). 120 cm de haut. Bleu profond. Hâtif.

'Naples' (Thompson and Morgan 1930). 90 cm. Bleu gentiane brillant, semi-double. Hâtif.

'Sommerfrische' (Klose 1982). 100 cm de haut. Bleu clair. Mi-tardif.

Les Hybrides de Belladonna suivants se reproduisent par semis :

'Bellamosum'. 120 cm de haut. Bleu gentiane foncé.

'Casa Blanca'. 150 cm de haut. Blanc pur.

'Cliveden Beauty' (Barr 1918). 150 cm de haut. Bleu clair. Grosses fleurs.

'Connecticut Yankee'. 90 cm de haut. Divers tons de bleu. A été introduit au début des années 60. On compte, en hiver, 15 à 20 % de pertes. La culture annuelle réussit mieux.

Les nouveaux Hybrides University ne sont pas encore des variétés idéales pour le jardin, tout en représentant une réussite importante dans le domaine de la couleur. Voici un beau spécimen dans les jardins de Wisley en Angleterre.

Delphiniums d'autres couleurs

''Le Delphinium idéal est bleu'' ! Cette fameuse affirmation de Karl Foerster est encore valable aujourd'hui. Mais elle ne change rien au fait que, depuis, de nombreux jardiniers ont tenté de cultiver des pieds-d'alouette rose, jaune ou rouge écarlate. Bien sûr, il s'agit ici du pied-d'alouette vivace, car, parmi les différentes sortes de

dauphinelles annuelles, il y en a des roses et même quelques-unes avec des tons rougeâtres. Il n'y a que la couleur jaune qui manque.

On nourrissait l'espoir d'obtenir une variété rouge ou rougeâtre lorsqu'en 1938, on introduisit le pied-d'alouette de petite taille rouge écarlate *Delphinium nudicaule* Torrey et A. Gray. Cette espèce a un rhizome un peu tubéreux et craint l'humidité de l'hiver. Le *Delphinium cardinale* Hooker, également à fleurs roses, fit suite à cette espèce en 1855. On réveilla l'espoir d'obtenir des variétés à fleurs jaunes en introduisant, en 1867, le *Delphinium semibarbatum* Bienert ex Boissier. Mais les jardiniers qui avaient, autrefois, espéré avoir à leur disposition une large palette de couleurs se sont trompés. Beaucoup de temps dut passer avant que l'on ne remporte de véritables succès.

On s'employa intensivement à la culture des variétés de couleur rougeâtre, en particulier, dans les Pays-Bas. Dès 1902, Ruys a essayé d'obtenir un pied-d'alouette de couleur rouge en croisant *D. nudicaule* (espèce de petite taille de Californie) avec *D. elatum*. Ce fut un chemin laborieux, car il n'y eut pas de résultats fiables pendant 25 ans. Ce n'est qu'à cette époque que l'on trouva une plante de taille élevée avec des fleurs d'un violet pourpre opaque dans un semis de graines de *D. nudicaule*. On s'explique ce phénomène aujourd'hui de la manière suivante : une ovule diploïde avait été fécondée par le pollen haploïde de *D. elatum*. Les semis des graines de cette plante donnèrent alors environ 200 plants qui portèrent les années suivantes quatre différents croisements rouges. On continua a opérer une sélection et en 1930 en résulta la première variété de couleur rose *D.* × *ruysii* 'Pink Sensation' et ce n'est qu'en 1938 qu'on put la commercialiser en grande quantité. Elle fut suivie en 1950 par 'Rose Beauty' qui est d'un ton un peu plus profond, mais qui n'obtint pas le succès de la première.

Dans les années 50, en Allemagne, le Dr. Peter Werckmeister se penche de façon plus scientifique sur le problème d'une floraison aux tons rouges, ce qui lui permit

d'obtenir une variété multipliable par semis (*D.* × *werckmeisteri*), mais dont la couleur n'apporta pas les résultats espérés.

A partir de 1953, on étudia ce problème à l'Institut agricole et horticole de Wageningen. Ce fut en particulier le Dr. R.A.H. Legro, dit Dr. Bob Legro, qui utilisa de nouvelles méthodes de génétiques.

Son but était d'obtenir des variétés rouges et jaunes à partir du type Elatum en croisant *D. nudicaule, D. cardinale* et *D. semibarbatum* (= *D. zalil*) que l'on a déjà évoqué plusieurs fois. Les travaux durèrent presque 25 ans jusqu'à ce qu'on obtienne des succès commerciaux tangibles.

Puisque les espèces sauvages de couleur rouge ont un nombre de chomosomes de 2n=16 et que les types Elatum utilisés ont par contre 2n=32, le croisement ne se fit pas sans problèmes. Il a fallu tout d'abord doubler le nombre de chromosomes des espèces sauvages à l'aide de colchicine de manière à obtenir un ensemble de chromosomes tétraploïde. Mais, malheureusement, il y eut certaines difficultés dans le croisement des plantes tétraploïdes ; en effet, la réussite du croisement était subordonnée au rôle joué par l'espèce sauvage tétraploïdée, à savoir si c'était une espèce-mère ou une espèce-père. Une fois résolues celle-ci et bien d'autres difficultés, il en résulta enfin une mutation obtenue à partir de l'Hybride de *Delphinium*-Elatum 'Black and White', qui put satisfaire les objectifs fixés et qui est connue sous le nom de Hybride *Delphinium* University 'Orange-Beauty'.

De génération en génération, les inflorescences furent plus longues et la palette de couleurs plus vaste, ceci étant le résultat d'un travail de croisements et de sélection intensifs. La multiplication demeurait un obstacle majeur. *D. nudicaule* a hérité des Hybrides University (enregistrés aujourd'hui sous la dénomination 'University Group') d'un rhizome un peu tubéreux auquel les méthodes de multiplication végétative traditionnelle ne peuvent pas s'appliquer, le rendement étant trop minime. Ce n'est que la culture in-vitro qui permit la multiplication en quantité suffisante.

Les résultats provenant des essais de croisement de Wageningen furent transmis à la Grande-Bretagne qui continua les recherches. Dans les Pays-Bas aussi les travaux se poursuivent et la firme A. Bartels (Hornweg 53, 1432 GD Aalsmeer) a sorti une variété rose dénommée 'Princess Caroline', qui est le premier hybride de *Delphinium* reproduit in-vitro à avoir été enregistré. D'autres suivront. Ces variétés sont particulièrement intéressantes pour le jardinier qui cultive des fleurs à couper et qui utilise de temps en temps les serres ; mais elles servent peu à l'agencement de jardins. Malgré les succès déjà atteints, il faudra faire encore du chemin pour obtenir, à partir d'espèces de couleurs différentes, des variétés pour jardin ayant toutes les caractéristiques des robustes pieds-d'alouette cultivés en pleine terre. Mais l'on peut continuer à dire : ''Le Delphinium idéal est bleu''.

Bien sûr, on obtint déjà par d'autres voies des pieds-d'alouette roses, comme par exemple les Pacific-Hybrides conçus aux Etats-Unis. L'une de ces variétés, 'Astolat', réunit en elle plusieurs types à fleurs roses.

'Rosy Future' est un nouveau Delphinium, obtenu par semis. Ici, en compagnie de *Anthemis tinctoria* et *Aconitum* 'Bergfürst'.

tes, on n'obtenait pas, par les graines, des types uniformes, mais à cette époque prévalait surtout l'intérêt pour de nouvelles variétés. On obtenait des exemplaires particulièrement beaux par division des souches et par boutures. Le nombre des variétés allant en augmentant, on renonça de plus en plus à la multiplication par les graines – excepté pour les cultures expérimentales – si bien qu'on n'employa guère plus de pieds-d'alouette reproduits de cette manière pendant la première moitié du 20ᵉ siècle.

Les obtentions britanniques – contrairement à celles européennes – se révélèrent être aux Etats-Unis de courte durée et présenter bien d'autres désavantages. En particulier, cette fleur bleue tant appréciée, ne pouvait être cultivée en Californie et cela à cause des étés chauds et secs. Charles F. Barber de Hoodacres/Troutdale dans l'Orégon fit des essais avec les variétés anglaises Wrexham, de haute taille. Après avoir réalisé des travaux intensifs de croisement il obtint par semis un type presque fidèle à la graine, connu sous le nom de 'Hoodacres White'. D'autres botanistes continuèrent à travailler sur des types multipliables par graines, comme O.M. Pudor de Puyallup dans l'état de Washington qui utilisa les meilleurs spécimens américains et européens.

Enfin, il faut citer ici Frank Reinelt de la maison Vetterle et Reinelt, obtenteur très connu et de première importance. C'était un émigré tchécoslovaque de souche allemande, qui avait trouvé sa nouvelle patrie sur la côte du Pacifique. On remarquera à ce propos que la culture du Delphinium s'était concentrée dans l'ouest des Etats-Unis. Frank Reinelt qui se dédiait en même temps à l'obtention de la primevère, fut à l'origine du large éventail aujourd'hui existant de Delphinium Pacific.

Karl Foerster, lui aussi, avait obtenu des graines de ces obtentions qui, poussant en Californie, région au climat doux, ne purent pas concurrencer les robustes Hybrides de *Delphinium*-Elatum reproduits végétativement. Particulièrement intéressant est le jugement de Karl Foerster en ce qui concerne leur robustesse, leur résistance au gel et leur durée.

Dans l'assortiment anglais on trouve toute une série de variétés jaunes. Les amateurs peuvent essayer d'obtenir des graines, bien qu'il ne soit pas toujours facile de se les procurer. Il leur sera, par contre, plus aisé de trouver des graines de *Delphinium semibarbatum*, également jaune.

La couleur de certaines n'est pas satisfaisante, mais on y trouve aussi plusieurs nuances agréables. Aux Pays-Bas on a créé, entre autres, le très joli 'Rosy Future'.

Parmi les variétés jaunes, on trouve quelques types d'un jaune tendre (se reporter aussi aux variétés britanniques), cependant il faudra encore beaucoup de travail de recherche avant de créer un pied-d'alouette jaune foncé.

La beauté par les graines : le Delphinium-Pacific

Au 19ᵉ siècle, lorsque l'on commença à cultiver la dauphinelle, la multiplication se faisait de façon générative et végétative. Cer-

J'ai moi-même longtemps hésité jusqu'à ce que je pus constater qu'un Hybride Pacific blanc refleurit pendant huit ans à la même place dans mon jardin, sans qu'il fût nécessaire de le transplanter.

Des dizaines d'années se sont passées et beaucoup de jardiniers des Etats-Unis, de Grande-Bretagne, des Pays-Bas et d'Allemagne ont continué leurs essais de multiplication et d'amélioration. La maison Ernest Benary, fondée en 1843 à Erfurt et qui a son siège aujourd'hui à Hannoversch Münden, s'est particulièrement distinguée. On trouve dans le commerce un assortiment spécifique de la maison Benary à partir de cultures spéciales, qui porte le nom de *Delphinium* 'Pacific Blaupunktsamen'. Un certain pourcentage de ces graines est recouvert d'une couche de couleur bleue, ce qui est le signe distinctif de cet assortiment.

L'on peut affirmer aujourd'hui que les Hybrides de Pacific multipliés grâce à la méthode générative occupent le même rang que les Hybrides de *Delphinium*-Elatum obtenus par multiplication végétative. Alors que pour la culture dans le jardin les Hybrides Elatum sont d'une très grande importance, les Delphiniums Pacific prédominent dans la **production de fleurs à couper**. La courte période nécessaire pour obtenir la floraison étonne quelque peu. Un jardinier peut couper des fleurs prêtes à la vente dans l'espace de trois à quatre mois. Les semis précoces fleurissent déjà à la fin de l'été de la même année et les semis de l'automne, que l'on recommande, portent déjà la première année une production d'excellente qualité. Vous trouverez plus de détails sur la manière de planter dans le chapitre ''La multiplication'', page 69.

Le Delphinium-Pacific aussi aime le soleil. Lorsqu'il s'agit de production sous serre pour fleurs à couper, on doit veiller à ce qu'il y ait assez d'air et de lumière. Il faut veiller de la même manière, à ce qu'il y ait suffisamment de substances nutritives. Un substrat argileux-humosique avec une certaine humidité, donne les meilleurs résultats. Il est nécessaire d'ajouter ultérieurement de l'engrais, après avoir rabattu les plantes de 20 à 30 cm. Une bonne dose de fumure aidera à la remontée.

Pour la culture sous serre, on emploie des plantes d'un à deux ans, qui ont poussé en

Evaluation des Hybrides-Pacific (d'après ''Die Sichtung der Stauden'' de Sieber).

Variété	Evaluation	Plantes par groupe et espacement entre les plantes	Hauteur en cm	Floraison juin-juillet et septembre-octobre	Couleur des fleurs	Remarques
'Black Knight'	Fc	1-3 80 cm	180	mi-été	violet foncé/noir	
'Blue Bird'	Fc	1-3 80 cm	180	mi-été	bleu moyen/blanc	
'Galahad' (Vetterle et Reinelt)	Fc	1-3 80 cm	180	mi-été	blanc pur	
'Summer Skies'	Fc	1-3 80 cm	180	mi-été	bleu ciel/blanc	
'Zartrosa'	Fc	1-3 80 cm	180	mi-été	rose/blanc	

Toutes les variétés se reproduisent par semis
Fc = Plante vivace pour fleurs coupées

pleine terre ; en fonction de la température, on peut les couper deux à trois fois par an. Lorsque la panicule est fleurie de moitié ou d'un tiers, le moment est venu de les récolter.

Le **jardinier amateur** devra soigner et cultiver le Delphinium-Pacific de la même manière que les Hybrides de *Delphinium-*Elatum. Certaines variétés de vivaces sont considérées comme d'excellentes fleurs à couper.

Delphiniums obtenus par semis

La liste qui suit donne les principaux Delphinium-Pacific, mais aussi les Hybrides, qui peuvent être obtenus par cette méthode.

Delphinium 'Stand Up'. Environ 110 cm de haut. Différents tons de bleus. Donne des plantes compactes.

Delphinium 'Pacific Blaupunktsamen'. Cette qualité exceptionnelle de cultures spéciales comprend les couleurs suivantes : violet foncé, ('Black Knight'), bleu ciel ('Summer Skies'), bleu moyen avec mouche blanche ('Blue Bird'), blanc pur ('Galahad'), tons roses ('Astolat'), lavande rose ('Guinivere') et un mélange de formes. Ces plantes atteignent une hauteur de 180 cm environ et fleurissent de juin à août.

Delphinium 'Pacific Spezialzucht'. Ces variétés à peu près semblables à celles qui viennent d'être décrites.

Delphinium 'Magic Fountains'. Intéressant à cause de sa petite taille, 80 cm, supportant les endroits exposés au vent. Nous trouvons les coloris suivants dans le commerce : blanc pur, bleu ciel avec mouche blanche, bleu foncé avec mouche blanche et un mélange de couleurs. Forme et grandeur des fleurs de la meilleure qualité. Plantes compactes avec tiges solides, appropriées aux parterres et pouvant être aussi utilisées comme fleurs coupées. Par ''mouche'' on désigne à proprement parler la fleur du centre, la partie extérieure n'étant, du point de vue botanique, que le calice !

Delphinium 'Mid Century'. Constitue une série (Hybrides F_2). Hauteur environ 100 cm. On trouve les variétés F_2 suivan-

Page 36, en haut :
Un hybride
compact qui, par sa
petite taille, est
bien stable : son
nom est 'Stand
Up'. Cette plante
obtenue par semis
est à recommander,
même si la hauteur
et la couleur des
fleurs ne sont pas
encore d'une
parfaite
homogénéité.

Page 36, en bas :
Les variétés Pacific
obtenues par semis
jouent avec les
tons, surtout les
fleurs roses qui ont
souvent diverses
teintes de camaïeu.

'Dwarf White' est
le pendant en blanc
de la variété
'Dwarf Blue
Spring'. Il n'est pas
très longévif, mais
en contrepartie on
l'obtient facilement
par semis. Le voici,
accompagné d'un
rosier grimpant
'Danse du Feu'.

tes : 'Moody Blues' (tons bleus), 'Ivory Towers' (blanc), 'Rosy Future' (tons roses), 'Dreaming Spires' (mélange de couleurs). Culture possible toute l'année sous serre froide. Résistant et peu de risques de contamination par l'oïdium.

Delphinium 'New Century' (Hybrides F$_2$). Hauteur environ 180 cm. On trouve dans le commerce 'New Century', à tons bleus, 'New Century', à tons roses, 'New Century' en mélange. Il fleurit en pleine terre de juin à août, avec de grandes fleurs doubles et des panicules bien garnies sur de solides tiges. S'utilise comme fleurs coupées, cultivées en pleine terre ou sous serre. Les semis effectués de bonne heure donnent une belle récolte à l'automne. Pour la culture sous serre, on recommande les variétés de couleur blanche ou bleue.

Delphinium Pacific nain 'Blue Springs'. Panicules bien compactes avec fleurs solitaires doubles de divers tons de bleu. Seulement 80 cm de haut. Faite pour l'agencement de jardins.

Delphinium Pacific nain 'Dwarf White'. Le pendant, en blanc, du précédent.

En plus, on trouve aussi les variétés suivantes :

'Blue Dawn'. Bleu foncé brillant. Tardif.

'Blue Jay'. Bleu moyen, mouche noire. Mi-hâtif.

'Camelliard'. Couleur lavande. Mi-tardif.

'Elaine'. Rose tendre. Mi-tardif.

'King Arthur'. Violet foncé à mouche blanche. Mi-tardif.

'Percifal'. Blanc à mouche noire. Mi-tardif.

'Weißer Herkules'. Blanc. Mi-tardif.

Ces plantes ont entre 120 et 180 cm de haut. Le Jardin de plantes vivaces Foerster à Bornim près de Potsdam, a commercialisé les Pacific-Hybrides suivants : 'Blaumeise', 'Blauer Prinz', 'Königstochter', 'Nachtvogel'.

Lorsqu'on prétend que les Pacific-Hybrides ne peuvent résister aux froids que sous serre, l'on se trompe. Ainsi que d'autres variétés, les Pacific peuvent supporter l'hiver sans protection particulière même sous des climats continentaux. Il en est de même, en principe, pour la variété naine, 'Blue Springs'.

Splendeur des fleurs d'été : les dauphinelles annuelles

Comme nous l'avons déjà évoqué au début, la dauphinelle annuelle est apparue dans les jardins au Moyen-Âge plus tôt que l'espèce vivace. La diversité des couleurs, des formes des fleurs et les différentes tailles existant déjà au 17e siècle et dont témoigne le ''Hortus Eystettensis'', a de quoi surprendre. Avec le temps, on a amélioré les espèces et aujourd'hui, il y a même des variétés obtenues par semis aux couleurs garanties, et pas seulement en mélanges.

Les géniteurs

Il y a quelques confusions dans les dénominations. Le pied-d'alouette, qui a fait partie pendant longtemps du genre *Delphinium*, est présenté depuis peu comme un genre en soi, le genre *Consolida*.

L'éventail des variétés repose principalement sur deux espèces : *C. ambigua* (autrefois *D. ajacis*) et *C. regalis*, le pied-d'alouette des blés. Ces deux espèces-mères sont des plantes sauvages des champs, et bien qu'on les trouve occasionnellement aussi en Europe Centrale, elles sont surtout originaires d'autres pays. La plupart des variétés dans le commerce, sont difficilement attribuables à l'une ou à l'autre espèce : elles se sont entre temps, trop souvent croisées ci et là.

Consolida ambigua (L.) P. Ball et Heyw (*D. ajacis* L. emend. J. Gray, *ajacis* = des Ajax). Cette espèce est répandue dans les régions méditerranéennes et a quitté parfois les jardins, pour se retrouver à l'état sauvage en Europe Centrale.

La tige est presque toujours sans ramifications. Les fleurs terminées en longs éperons, à triple lobe, se trouvent sur des pédoncules multiflores. Le lobe du milieu est plus long que les lobes latéraux. La couleur des fleurs est bleue, blanche ou rouge. L'inflorescence ressemble de loin à celle d'une jacinthe. C'est pour cette raison que l'on parle aussi de pied-d'alouette à fleur de jacinthe. Par exemple dans les vieux livres sur les plantes, on trouve la dénomination botanique suivante : *"Delphinium ajacis nanum hyacinthiflorum flore pleno"*. On trouve parfois ces dénominations caduques même dans les catalogues de graines. Ce pied-d'alouette fleurit très tôt et a des tons bleu clair, roses, blancs et rouge brique. Avec ses 50 cm de haut, il est idéal pour les parterres.

Il en existe aussi une autre variété géante, qui a environ 120 cm de haut et s'utilise en particulier en fleurs coupées.

Consolida regalis S.F. Gray (*D. consolida*, L., *consolida* = très rigide) est l'autre géniteur de la dauphinelle annuelle. On le trouve en Europe et au Proche Orient, mais il était originaire d'Asie d'où il arriva en Europe Centrale dès la préhistoire. Cette espèce se trouve à présent dans de nombreux pays d'Europe. Les méthodes modernes de culture et d'engrais ont presque provoqué la disparition de cette charmante herbe des champs.

Cette plante annuelle d'hiver a une courte racine allongée. La tige est érigée et ramifiée. L'inflorescence est en forme de grappe avec peu de fleurs, lâches. Les feuilles sont divisées deux à trois fois en longues lanières étroites, elles portent des poils épais,

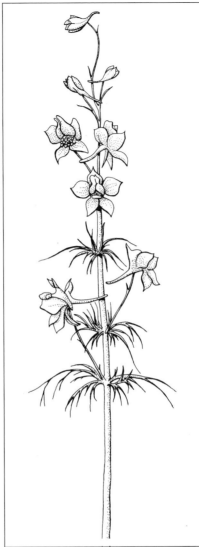

Page 38, en haut : Les croisements et la sélection des Pacific-Hybrides, originaires de Californie, ont permis de produire en Europe Centrale, un pied-d'alouette des jardins tout à fait acceptable même si sa principale destination est la production de fleurs coupées.

Page 38, en bas : Il existe des Delphiniums même pour des petits jardins : ici un Delphinium nain 'Dwarf Blue Springs', qui peut pourtant varier quelque peu en couleur et grandeur.

Consolida ambigua (Delphinium ajacis). Fleurs de l'espèce à l'état sauvage.

gris, semblables à de la laine grise. C'est une fleur butinée par les bourdons, car les éperons des deux feuilles intérieures sont l'un dans l'autre et produisent une grande quantité de nectar qui est recherché par des espèces de bourdons à longues trompes. Cette plante donne des fruits en forme de follicules qui explosent lorsqu'ils sont mûrs et projettent la graine au loin. La variété des champs fleurit un peu plus tard que la variété des jardins, à peu près en juillet-août, avec des éperons un peu plus longs que chez l'autre variété. Les fleurs sont bleues, blan-

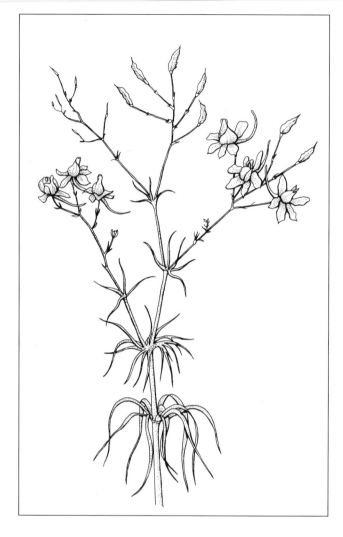

**Consolida regalis.
Fleurs de l'espèce à
l'état sauvage.**

din. On ne les voit cependant pas souvent et ceci est d'abord lié au fait qu'elles sont difficiles à multiplier.

Les pieds-d'alouette d'été sont, comme nous l'avons déjà dit, des plantes annuelles d'hiver, qui de plus germent à froid, comme tous les Delphiniums. Après avoir semé les graines en octobre, les jeunes plantes doivent encore se développer à l'automne et enfin grandir au printemps sous le soleil. Lors de diverses expériences, on a constaté que le pouvoir germinatif de certaines variétés passe de 65 à 2 pour cent de novembre à mars. Si on sème plus tard, on n'obtient plus rien.

Combien de sachets de graines achète-t-on au printemps pour semer les dauphinelles avec les autres fleurs d'été ? On pourrait vraiment économiser cet argent. Il faut donc impérativement planter en octobre en pleine terre puisque les plantes n'ont pas une motte solide, mais une racine courte élancée et ne portent que peu de racines fibreuses. Ceci n'est que la pure théorie, car il est déjà arrivé que des plantations selon toutes les règles donnent juste deux plantes avec des fleurs dans le même parterre.

L'hiver est si froid en Haute-Bavière, que les jeunes pousses ne lui résistent que rarement et en particulier lorsque la couche de neige qui pourrait les protéger fait défaut. Dans les régions très froides, il est donc conseillé de semer à l'automne dans des caisses. Après avoir germé sous serre, les petites caisses sont transférées dans une grande caisse que l'on met au frais.

Les jeunes plantes supportent sans problème de légères gelées. Il ne faut pas oublier d'aérer. On replante plus tard les plantes robustes dans les parterres préparés, avec 10 à 20 cm d'écart entre les plantes de petite taille et 20 à 30 cm d'écart entre celles de taille élevée.

La quantité nécessaire de graines est de 50 g pour environ 1 000 plantes (de 1 à 2 m²). En pleine terre, il est préférable de semer les graines en rangs. Par 10 °C, il leur faut environ 18 à 20 jours pour germer. (La température ne doit en aucun cas dépasser 12 °C, sinon les graines ne germent pas).

Comme substrat, il est conseillé d'avoir

ches et roses. Cette espèce a deux variétés différentes : Levkojen et Exquisit plus tardif, haut à fleurs doubles ; mais aujourd'hui on ne fait plus de distinction entre elles. Il est donc préférable de parler de pied-d'alouette des blés.

La multiplication

Les variétés annuelles cultivées ne sont pas comparables aux espèces vivaces, mais sont aussi agréables à contempler dans un jar-

un sol moyennement lourd, perméable renfermant une grande quantité d'éléments nutritifs. La température des cultures doit être de 5 à 10 °C. Il faut plus tard éclaircir de manière à obtenir un écart entre les plantes de 20 × 15 cm.

Le pied-d'alouette d'été peut être contaminé par des bactéries, des virus, l'oïdium, la mouche mineuse et les acariens. Dans le jardinage professionnel ou dans les espaces verts prendre des mesures particulières de protection.

Les plantes qui proviennent de semis d'hiver et, le cas échéant, de printemps fleurissent en juillet-août.

Le jardinier amateur qui ne touche pas à ses plantes jusqu'à maturité des graines, obtient des semis spontanés qui portent de belles plantes inattendues l'année suivante.

Fleurs coupées et fleurs séchées

La dauphinelle annuelle occupe une bonne place parmi les fleurs coupées, mais les différents types se distinguent par leurs propriétés particulières. En principe, la dauphinelle donne de bonnes fleurs coupées à condition que les tiges soient coupées de bonne heure : le moment propice est lorsque la première fleur s'ouvre. Pour les fleurs coupées, on préfère les espèces de haute taille, mais elles ont besoin de tuteurs ou de filets pour les protéger des coups de vent. Le pied-d'alouette des blés, donc le descendant de *Consolida regalis* (*Delphinium consolida*), tient plus longtemps dans le vase que le pied-d'alouette des jardins, c'est-à-dire le descendant de *C. ambigua*

(*D. ajacis*). Ce dernier fleurit en général un peu plus tard. Il existe en outre des obtentions, comme les Kalsay, que l'on peut rendre hâtives.

Une fois coupé le pied-d'alouette dure environ cinq jours : il ne fait donc pas partie des fleurs coupées de longue durée. Ceci est dû au fait qu'il produit beaucoup d'éthylène et ce gaz oléfiant provoque la chute des fleurs. On peut prolonger la durée à l'aide de substances ralentissant la production d'éthylène, comme les préparations à base de thiosulfate d'argent.

A côté des fleurs coupées, le jardinier a la possibilité de produire des fleurs séchées. Les variétés modernes de couleur pastel se vendent bien. La majeure partie des fleurs séchées vient des Pays-Bas, mais il est possible de les produire ailleurs aussi. On utilise des fleurs de haute taille, mais il y a des différences entre les variétés. Voici celles idéales pour fleurs séchées :

Consolida ambigua : 'Early Bird Mixed' (80 cm, fleurs précoces) ; Delphiniums à fleurs de jacinthe de petite taille (50 cm, fleurs doubles) ; 'Rakete' en mélange (non ramifié, fleurs précoces, très approprié) ; 'Race Kalsay' (fleurs précoces, peut devenir hâtif).

Consolida regalis : 'Blaue Glocke', 'Blaue Pyramide', 'Karmin König', 'Weisser König'.

Il faut protéger par un filet les surfaces où poussent les graines d'automne. Pour obtenir une bonne qualité de fleurs coupées, il faut utiliser des treillis métalliques et abriter du vent, le mieux possible, les surfaces cultivées. Pour obtenir une production importante de fleurs séchées, un apport d'éléments nutritifs est nécessaire. Pour les cultures sous serres en PVC (la race Kalsay s'y prête bien), la température ne doit pas être trop élevée (environ 12 °C). Un air relativement sec n'a pas de retombées négatives.

La floraison a lieu à des périodes différentes selon l'espèce et la date de l'ensemencement. On coupe les inflorescences qui sont complètement fleuries et on en retire en même temps les feuilles inférieures. L'on peut, en plus des fleurs, récolter les infrutescences pour orner les bouquets. On met les fleurs à sécher dans des bâtiments aménagés pour cela ou dans des endroits obscurcis par du papier aluminium. L'amateur suspendra tout simplement les bouquets de fleurs dans un endroit sombre et aéré. Pour sécher les tiges, on obtient de bons résultats en les laissant bien droites dans un récipient.

Il est conseillé au gros producteur de traiter à la glycérine, ce qui empêche les fleurs de se casser. Normalement, il faut mélanger un tiers de glycérine à deux tiers d'eau. On y trempe les tiges coupées pour qu'elles gardent une grande élasticité. On peut trouver aussi dans le commerce des produits qui permettent d'obtenir la même maniabilité.

Plantations pour parterres

Il faut savoir que la floraison a lieu dans un court laps de temps. On suppose que les dauphinelles annuelles ont leurs origines dans les déserts de l'Asie Centrale, là où la végétation ne dure que peu de temps. Les étés secs durent neuf mois, la saison des pluies commence début mars et finit fin mai. L'éventail des espèces de ces régions se caractérise principalement par des plantes annuelles et des plantes géophytes. Les fleurs d'été doivent atteindre leur maturité dans des endroits qui leur sont peu favorables, dans une période comprise entre 30 et 45 jours.

Ces dauphinelles annuelles, une fois fixées en Europe, ont gardé le rythme de leur pays d'origine. Il ne faut donc pas s'attendre à ce qu'elles fleurissent de fin mai aux premières gelées comme des œillets d'Inde par exemple. Si l'on garde cela à l'esprit on s'évitera des déceptions.

Le jardinier amateur a trois possibilités. Tout d'abord, il peut mélanger des pieds-d'alouette à d'autres fleurs annuelles. On trouve ces mélanges dans le commerce, sous toutes sortes d'appellations. Mais la germination des pieds-d'alouette est incertaine. Pour y remédier, il faut semer très tôt, dès mars. Lorsqu'on utilise ces mélanges, on ne distingue pas quelles espèces ne fleurissent pas longtemps. La fin de la floraison est masquée par l'épanouissement les fleurs des autres plantes. Dans ces mélanges on n'obtiendra que peu de pieds-d'alouette en fleur. Pour cette raison il vaudrait mieux semer les pieds-d'alouette en octobre ; couvrir de toile pour protéger du gel et en avril planter tout simplement les autres fleurs d'été en tamisant par-dessus encore une fois un peu de terre de manière à recouvrir les graines.

Les plants de pieds-d'alouette sont déjà si grands à cette époque que le tamisage de la terre ne leur apporte rien de plus. Le procédé que l'on vient de décrire donne beaucoup de travail, mais on peut obtenir ainsi de ravissants tableaux. Pour cela, l'on peut aussi bien utiliser des variétés de grande taille que de petite taille, mais il faut veiller à la hauteur des plantes partenaires. Si l'on choisi des espèces de haute taille, il ne faut pas utiliser des plantes qui ne donnent qu'une panicule de fleurs, mais plutôt celles qui présentent plusieurs ramifications.

On peut utiliser des pieds-d'alouette d'été de grande taille ou vivaces dans un groupe de plantes vivaces en les plaçant à l'arrière du parterre. On procédera de même sur de grandes surfaces plantées ou semées de fleurs d'été.

S'ils ne sont plus assez beaux après floraison, il ne faut pas hésiter à les arracher. Si cela ne crée pas un trop grand vide, le spectateur ne le remarquera pas son regard étant attiré par d'autres fleurs au centre ou à l'avant-plan du parterre.

Une troisième possibilité consiste à utiliser de petits pieds-d'alouette, en particulier ceux à fleur de Jacinthe, avec des fleurs d'été. Ces variétés sont souvent si belles qu'on ne peut pas s'en passer.

Si on souhaite avoir des fleurs qui tiennent longtemps et même au-delà de la période de végétation, il faut, dès le début, avoir prévu un planning de plantation. On peut maintenir les plantes de remplacement en pot aussi longtemps que les pieds-d'alouette sont en fleur.

Dans les emplacement qui se libéreront au fur et à mesure on pourra alors planter par exemple des reines-marguerites (*Callistephus chinensis*).

Lorsqu'on connaît bien les particularités des pieds-d'alouette, on trouve toute sorte de possibilités d'utilisation.

Liste des variétés

Dans le commerce, on ne fait souvent pas de distinction entre *C. ambigua* et *C. regalis*, ces deux espèces-mères étant souvent confondues. Il faut donc considérer les informations avec précaution.

'Blue Cloud' (*C. regalis*). 80 cm de haut. Variété fortement ramifiée à panicules lâches, avec de petites fleurs bleues. Intéressant pour garnir des bouquets d'été. Floraison à partir de juin.

'Early Bird'. Mélange. 75 cm de haut. Très précoce, double. Développe des tiges longues, non ramifiées. Doux tons pastels, bleu clair, bleu foncé, roses et blancs. Fleurit en juin-juillet.

'Exquisit' (*C. regalis*). 110 cm de haut. Plantes robustes, ramifiées à partir de la base, avec de longues panicules serrées. Les variétés suivantes se trouvent désormais dans le commerce : 'Blaue Glocke' (bleu clair), 'Blaue Pyramide' (bleu foncé), 'Karmin König' (rouge carmin), 'Lila Pyramide' (couleur lilas), 'Weisser König' (blanc), 'Rosa Königin' (rose), 'Salmon Beauty' (rose saumon) et d'autres couleurs en mélange.

'Grand double' (*C. regalis*). Environ 110 cm de haut. Panicules fermées, denses et longues. Les plantes sont ramifiées à partir de la base. Semé au printemps, il fleurit en juillet. Il existe dans les couleurs suivantes : bleu azur, bleu foncé, écarlate, carmin, rose, blanc et en mélange.

'Jung'. Série qui représente une amélioration par rapport à l'"Exquisit" : en effet, il croît et fleurit de manière plus équilibrée. La floraison a lieu plus tôt. Tiges raides avec des fleurs serrées. En plus du mélange,

Consolida ambigua (Delphinium ajacis). Fleur d'un pied-d'alouette de culture.

il y a des sortes blanches, bleu foncé, bleu clair, rose clair, rose, rose foncé.

'Kalsay' (*C. ambigua*). Sélection à croissance homogène, avec de longues tiges, non ramifiées et des fleurs précoces. A côté du mélange, il existe en blanc, rose, bleu foncé et bleu clair.

'A fleur de Jacinthe' (*C. ambigua*). Variété d'été, de taille réduite. Environ 50 cm de haut. Très précoce (juin). Fleur très double.

'Géant à fleur de Jacinthe' (*C. ambigua*). Environ 110 cm de haut. Mélange double.

Pieds-d'alouette annuels ou cultivés comme tels

Delphinium grandiflorum L. (*D. grandiflorum* var. *chinense* Fisch. ex D.C.) fait partie des vivaces, mais il est souvent traité en plante annuelle. Vous trouverez plus de détails sur cette espèce dans le chapitre ''Aperçu des différentes espèces'', page 46.

Dans les cultures on trouve plusieurs variétés, par exemple 'Blauer Zwerg', d'environ 20 cm de haut, qui fleurit à partir de juillet, lorsqu'on a semé en mars. Le jardinier professionnel qui veut avoir des potées fleuries pour la fête des mères, doit semer l'année précédente, à peu près fin mai. Il protégera les plantes avec du feuillage ou des petites branches de pin pendant l'hiver. A partir de mars, il les placera dans une serre légèrement chauffée.

Une autre variété connue est 'Blauer Spiegel'. Elle a environ 30 cm de haut, et de grosses boules de fleurs très denses. On sème ce Delphinium bleu brillant en mars (ou en avril). Il peut être utilisé pour garnir des rocailles, des jardinières de fleurs ou comme bordure des parterres.

'Butterfly' a des fleurs bleu outre-mer et est un peu plus grand, environ 40 cm de haut. On peut l'utiliser pour les fleurs coupées.

On trouve aussi 'Blue Elf'. Les petites fleurs semblables à des bleuets ont un long éperon et des fleurs très denses. Son feuillage découpé est très décoratif. Environ 30 à 40 cm de haut.

Des espèces
de Delphinium rares

Lorsqu'on a la chance de découvrir les plantes de nos jardins dans leur milieu naturel, notre relation n'en devient que plus intense. C'est le pied-d'alouette des blés que l'on rencontre le plus souvent dans la nature et même si les méthodes de l'agriculture moderne ont fait reculer la présence de cette plante, on la trouve encore aujourd'hui dans de nombreuses régions.

Quelques rencontres avec des Delphiniums

D'après "L'atlas des fougères et des fleurs de la République fédérale d'Allemagne"[1], on trouve cette plante surtout dans le sud de l'Allemagne et tout particulièrement dans les régions de mi-montagne. En ce qui concerne les nouvelles provinces (Länder), il n'y a pas encore de données écrites ; une publication est cependant prévue.

Le pied-d'alouette vivace est représenté dans presque tous les livres sur les plantes alpines (la plupart du temps, il s'agit de *D. elatum*), mais il ne faut pas en conclure que l'on rencontre souvent cette plante dans les trois massifs à l'ouest de l'Europe, c'est-à-dire dans les Riesengebirge, les Alpes et les Pyrénées. J'ai fait de nombreuses excursions dans les Alpes et pourtant je n'ai pas encore rencontré un seul *D. elatum*. Cette espèce n'est que très sporadique. On ne la trouve pas dans les Alpes allemandes en Suisse elle fait partie des plantes protégées et le livre "Les fleurs de montagne en Carinthie"[2] indique qu'il ne reste que quelques habitats isolés de *D. elatum* dans cette province autrichienne.

Ma première rencontre avec un pied-d'alouette vivace a eu lieu dans des régions très lointaines dans l'ouest de l'Himalaya, au Cachemire. Ce jour-là, il me fallut couvrir une certaine distance et gagner en même temps une grande différence d'altitude. Nous partîmes tôt le matin, nous traversâmes le lac de Dal en bateau pour rejoindre Srinagar. Quelques taxis nous attendaient sur la rive pour nous amener

1) "*Atlas der Farn-und Blütenpflanzen der Bundesrepublik Deutschland*" (Haeupler und Schönfelder 1989)
2) "*Bergblumen in Kärnten*"

Delphinium nelsonii dans une région très élevée de l'Idaho. En Amérique du Nord, et en particulier à l'ouest, on rencontre de nombreuses espèces de Delphiniums.

dans les montagnes, aussi loin que l'état des routes pouvaient le permettre. Ensuite, il nous fallut continuer sur des poneys. Nous rencontrâmes beaucoup de fleurs et je me souviens en particulier d'une fleur sur une pente douce : il s'agissait de *Potentilla nepalensis* qui poussait là dans différents tons de roux avec une rose trémière jaune et un pied-d'alouette de taille moyenne, aux fleurs lâches, mais d'un bleu brillant. Ce n'était pas un *D. cashmerianum*, comme je l'avais supposé au début, mais un *D. denudatum*.

C'est au Canada de manière tout à fait inattendue, que j'ai fait ma deuxième rencontre avec des Delphinium. A la lisière de la forêt, il y avait une aire remplie de *D. glaucum*. Son hauteur était d'environ de 1 à 1,20 m, les panicules de fleurs étaient d'un bleu très spécial, presque un peu sale. Mais les plantes souples étaient très agréables à contempler.

L'Amérique du Nord est le pays des Delphiniums. J'ai découvert des pieds-d'alouette à l'état sauvage lors de ma visite au nord-ouest des Etats-Unis, dans les états de Washington, de l'Oregon et de l'Idaho. Au nom de Delphiniums, on associe l'idée de grand, haut et élancé. Mais il existe aussi d'autres espèces qui ne correspondent pas à ces critères, et je m'en suis rendu compte au Mount Rainier. C'est un parc national où l'on trouve une toute petite espèce, *D. nuttallianum*, avec peu de fleurs, qui pousse sur des rochers humides, et serait très adapté pour un jardin alpin. Dans la partie montagneuse de l'Idaho, nous avons vu toute une série de plantes intéressantes qui poussaient, à bonne altitude, sur le bord de la route : il s'agissait d'une Composacée de petite taille et de couleur blanche du nom de *Hyethia helianthoides*, d'une plante à feuilles rugueuses, *Mertensia ciliata*, avec de petites clochettes bleues et entre les deux, le petit *D. nelsonii*. Nous avons découvert deux autres espèces de Delphiniums à la lisière d'une forêt peu dense et sur une pente abrupte, mais il a été toutefois difficile de définir de manière précise leur nom botanique.

Le but de ce chapitre est d'éveiller l'intérêt afin de découvrir la beauté reposante des différentes espèces de Delphiniums que l'on peut aussi rencontrer dans la nature. La plupart des espèces présentées dans le paragraphe suivant peuvent être cultivées dans un jardin. Il y a même des enthousiastes qui vont les chercher eux-mêmes pour les cultiver : il est vrai qu'on ne trouve que peu de ces espèces rares dans le commerce. Pour ce qui est des graines, le choix est plus important. Ceci est valable pour les échanges entre sociétés d'amateurs aussi bien que pour l'ensemble des espèces auquel l'Association internationale des jardins botaniques a accès.

Aperçu des principales espèces

Les Delphiniums forment un genre important et il est difficile d'en dénombrer exactement le nombre d'espèces. Selon qu'on leur reconnaît ou non leur statut d'espèce – ce qui dépend souvent de botanistes isolés – on en compte environ 370.

Le genre *Delphinium* fait partie de la famille des *Ranunculaceae*. Ce n'est que depuis peu que l'on a séparé à nouveau du genre *Delphinium* les géniteurs de nos dauphinelles annuelles pour en faire un genre autonome du nom de *Consolida*. Il n'est pas tout à fait certain que le statut de certains Delphiniums présentés ici soit justifié, étant donné qu'on les cultive depuis longtemps et que l'on ne connaît plus leur habitat naturel.

L'énumération qui suit, n'est en aucun cas, complète ; elle donne les espèces les plus importantes. Elle cite aussi bien les Delphiniums que l'on peut planter dans le jardin que ceux rencontrés par les amis des plantes au cours de leurs voyages. L'année indiquée entre parenthèses est celle de l'introduction de la plante.

Les espèces décrites ont les caractéristiques suivantes :
○ ○ ○ = espèces importantes pour le jardin qui sont proposées aussi bien en plantes ou en graines.

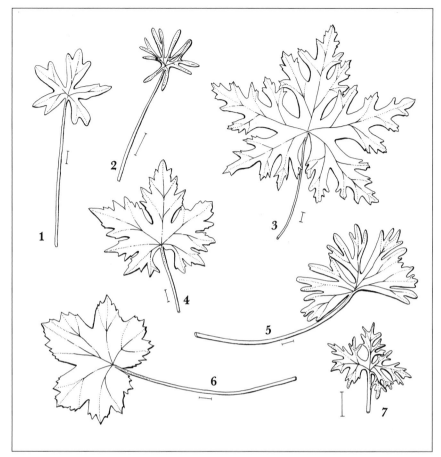

○ ○ = espèces répandues, cependant on ne les trouve qu'avec quelques difficultés dans le commerce.

○ = espèces de jardins botaniques d'Europe et des Etats-Unis ; cultivées aussi par des amateurs, même si ce n'est que rarement.

Les plantes non suivies d'un signe, ne sont que très rarement cultivées, mais doivent retenir l'attention du promeneur.

Lorsqu'on ne donne pas d'indication sur la durée, il s'agit de plantes vivaces.

D. aitchisonii voir *D. cashmerianum* Royle

D. ajacis voir *Consolida ambigua* et *D. orientalis*

D. albescens Rydberg voir *D. virescens* Nutt.

D. albiflorum DC. Cette espèce trouve ses origines dans le nord de la Grèce et en Bulgarie. Fleurs bleu clair à jaune blanchâtre, comportant un éperon de 19 à 23 mm de long. Feuilles hautes, ovales et lancéolées. Pas intéressante pour le jardin.

D. alpestre. Endémique au sud des Rocky Mountains, dans le Colorado et au Nouveau Mexique. Pousse en haute montagne. Forme des tapis peu élevés de feuilles d'un vert profond, un peu velues, profondément découpées. Les tiges des fleurs sont élancées, courtes, de 10 à 20 cm seulement. Fleurs bleu foncé avec un œil jaunâtre, formant un ensemble sombre qui se remarque peu. Floraison mai-juin. A fait ses preuves aux Etats-Unis dans les rocailles, où il devient d'année en année de plus en plus beau.

Delphinium brunonianum. **Parmi les espèces de Delphiniums nains de haute montagne, que l'on peut planter dans les rocailles ou dans les jardins alpins, on trouve parfois des espèces aussi délicates que celle photographiée ici.**

Ressemble à *D. nelsonii* et à *D. menziesii* ○

D. alpinum voir *D. elatum*.

D. altissimum Wallich voir *D. scabriflorum* D. Don.

D. andersonii Gray. Utah, Idaho et Nevada jusqu'en Californie, 10 à 60 cm de hauteur, selon le milieu. Tiges des fleurs simples, inflorescence glabre ou avec peu de poils. Les feuilles sont principalement basales et sur les parties inférieures de la tige. L'inflorescence constituée d'une grappe ou d'une panicule peut porter jusqu'à 15 fleurs. Elles sont bleu clair, bleu violet et ont de 9 à 15 mm de long.

Cette espèce (*D. andersonii* ssp. *andersonii* = *D. cognatum* Greene = *D. andersonii* ssp. *cognatum* Ewan) se trouve dans le Great Basin et a des fleurs bleu foncé. Son feuillage est très réduit en haut de la tige.

D. andersonii var. *scaposum* (Green) Welsh (= *D. scaposum* Green = *D. amabile* Tidestr.), originaire du sud et du sud-est de l'Utah, a la plupart du temps des fleurs d'un bleu clair.

D. atropurpureum voir *D. cashmerianum*.

D. aurantiacum est une variante de couleur de *D. nudicaule*.

D. azureum voir *D. carolinianum* Walt.

D. balcanicum Pawl. Yougoslavie, Grèce, Bulgarie. Se trouve en pleine nature ou dans des endroits cultivés. Fleurs linéaires. Forme en particulier des épis avec de nombreuses fleurs séparées. Peu cultivé.

D. barbeyi Huth voir *D. occidentale* var. *barbeyi* (Huth) Welsh.

D. barlowii. Ce n'est pas une espèce, mais un très vieil hybride qui a été planté en Angleterre par Barlow.

D. bicolor Nutt. Oregon, Washington, au sud de la Colombie Britannique jusqu'à l'Utah et le Wyoming. Là-bas on le trouve dans les forêts de *Pinus ponderosa*. Beau petit éperon de deux couleurs avec un rhizome pulpeux et replet. Environ 30 cm de haut. Développe principalement des feuilles à la base, profondément découpées si bien que les segments cunéiformes se chevauchent souvent. Inflorescence lâche, en épis avec de deux à douze fleurs. La partie inférieure des fleurs est plus grande et d'un bleu profond, la partie supérieure plus petite, d'un bleu clair ou crème, avec souvent de petits traits fins. ○

D. brachycentron Ledebour, que l'on définit aussi *D. brachycentrum* Kamtchatka. On ne s'explique pas complètement l'autonomie de cette espèce. On considère qu'elle fait occasionnellement partie de *D. cheilanthum*. (*D. cheilanthum* var. *brachycentron*). Environ 90 cm de haut (en culture 130 à 150 cm). La plante toute entière porte des poils fins. Feuilles découpées. Grappe de fleurs avec fleurs élancées, bien séparées les unes des autres, d'un bel effet, lumineux. Fleurs d'un bleu splendide, les sépales sont plus sombres que les pétales qui présentent une tache sombre. Rarement cultivé, mais très beau. ○

D. brownii Rydb. voir *D. glaucum* S. Wats.

D. brunonianum Royle (*D. jaquemontianum* Cambessedes). Du Pakistan au Népal, au sud-est du Tibet. Se trouve dans des hauteurs de 4 300 à 5 500 m sur des versants pierreux, des éboulis ou des endroits secs. Les feuilles velues sont plus arrondies sur la partie extérieure, de 3 à 8 cm de diamètre environ, lobées aux deux tiers ; les lobes sont dentelés. Feuilles velues, lanifères, en forme de balle, bleu clair, bleu gris à violet, avec la plupart du temps des veines très visibles, avec un éperon émoussé. Grandes fleurs par rapport à sa hauteur. Longueur des fleurs, y compris l'éperon, de 3 à 5 cm. Odeur forte un peu musquée

Une belle espèce, mais variable. Au jardin est elle plus exigeante et plus délicate que *D. cashmerianum*. Aime les sols frais à relativement secs l'été. Comme bordure de ligneux pour rocailles. (1864) ○ ○ ○

D. bulleyanum Forr. ex. Diels. Chine. Plante vivace de 120 à 130 cm de haut. Feuilles vert bleu, 7,5 à 10 cm de long, aux poils peu abondants, trilobées avec des subdivisions. Inflorescence aux panicules lâches. Fleurs d'un bleu profond, jusqu'à 24 cm de long, éperon recourbé vers l'avant. ○

D. burkei Green (*D. simplex* Dougl. non Salisb., *D. distichum* Geyer). Nord-est de l'Oregon. La plupart du temps dans des gorges et sur des prairies ayant des sous-sols de granit situées de 1 500 à 2 000 m. Arbuste avec une petite touffe de racines en forme de fuseaux. Les tiges ont 40 à 100 cm de haut, la plupart du temps couvertes d'un léger duvet ondulé. Les fleurs basales sont charnues, de 3 à 6 cm de large. Leurs segments sont larges, émoussés et ont de longs pédoncules. Les feuilles meurent dès que les fleurs s'ouvrent. Les nombreuses fleurs sur la tige ont de courts pédoncules, les segments plus linéaires se chevauchent. La grappe de fleurs est en forme d'épis, comprenant dix fleurs et plus. Chaque fleur a de 11 à 17 mm de long, les pétales inférieurs sont bleus et profondément lobés, les pétales supérieurs sont presque blancs.

D. caeruleum. De l'Himalaya au sud-est du Tibet. Jusqu'à 30 cm de haut, mais la plupart du temps moins. *D. grandiflorum* lui ressemble, avec seulement un aspect plus lâche et des feuilles finement découpées. Fleurs d'un bleu profond (floraison juin-juillet).

D. californicum Torr. et A. Gray. Centre de la Californie. Vivace avec d'épaisses racines lignifiées ; dépassant souvent les 2 m de haut. Tiges robustes, creuses, feuillues. Feuilles de 5 à 12 cm de diamètre, minces, avec 5 à 7 lobes cunéiformes, dentés et bien séparés. Inflorescence dense, de 30 à 60 cm de long. Floraison bleue foncée, ou intérieur violet et extérieur blanchâtre avec une pointe verte ou couleur lavande. (1838) ○

Delphinium cardinale est une espèce recherchée par les amateurs. Elle supporte mal l'humidité de l'hiver et il est donc parfois difficile de la conserver.

D. cardinale Hook. Sud de la Californie. Sous des arbustes, à une altitude de 500 m. Racines profondes, épaisses et lignifiées. Tiges droites et ramifiées en haut, 60 à 90 cm de haut, creuses. La plupart du temps feuilles basales, jusqu'à 20 cm de large, comprenant 5 à 7 fines lanières, avec de longues tiges. Fleurs luisantes, couleur rouge écarlate. Les fleurs, sessiles, font plus de 12 mm et sont réunies en une grappe peu dense de 15 à 35 cm de long. Eperon robuste, un peu plus long que les pétales supérieurs. Floraison de juillet à août. Tiges feuillues. Supporte le gel, mais dans un jardin doit être protégé du froid et de la pluie. Lorsqu'on sème à la bonne époque, la fleur apparaît la première année. Cette espèce supporte encore moins l'humidité que *D. nudicaule*. Approprié à la culture en pots. Culture en jardin alpin possible. (1885) ○ ○ ○

D. cardiopetalum D.C. (*D. halteratum* Sibth. et Smith var. *cardiopetalum* Huth). Sud de la France. Plante annuelle bien droite, de 25 à 50 cm de haut, avec du duvet et des ramifications très écartées les unes des autres. Feuilles avec des segments linéaires. Fleurs bleues en courtes grappes. De temps à autre, en culture. ○

C. carolinianum Walt. (*D. azureum* Michx., *D. nortonianum* Mackenzie et Bush). De la Virginie au Missouri, en Floride et au Texas. Prairies et autres surfaces ouvertes. De 35 à 70 cm de haut. Tiges élancées, plus ou moins recouvertes

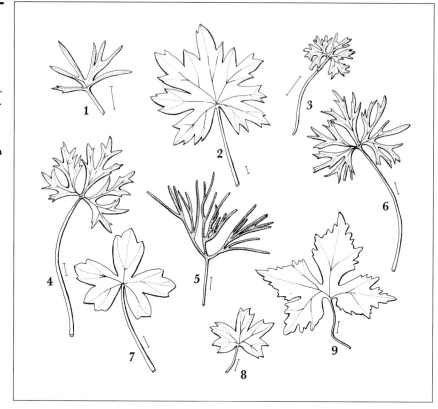

de fin duvet. Feuilles profondément découpées en segments linéaires et dentés, 10 à 20 cm de long. Fleurs dépassant 25 mm, pourvues d'un pédoncule ; bleu moyen, rarement aussi couleur chair et blanc. L'éperon est recourbé vers le haut. (1788). ◯

D. cashmerianum Royle (*D. aitchinsonii* Huth). (On le trouve aussi parfois sous le nom *D. cashmirianum*). Himalaya. N'atteint que 30 à 40 cm de haut. Feuilles arrondies, larges, avec six à sept lobes. L'inflorescence est en forme de grappe lâche avec peu de fleurs. Chaque fleur est en forme d'entonnoir, violet foncé. Floraison de juin à juillet. Il en est de même pour le *D. brunonianum*, cependant l'inflorescence comprend, la plupart du temps, un plus grand nombre de panicules avec peu de poils et dépourvues d'un renflement jaune à la base. Il existe aussi un type aux fleurs d'un blanc jaunâtre ('Album'). Belle

espèce, en forme de vaste buisson, à stolons, pour les rocailles ou les endroits semblables. Exige peu de soleil et supporte l'été un sol frais à moyennement sec. Pousse bien à la lisière des petits bois. Se reproduit bien par division des souches et par semis. Ce que l'on vend aujourd'hui dans le commerce sous ce nom, dans la plupart des cas ressemble plus à *D. elatum* qu'à *D. cashmerianum*. (1839) ◯ ◯ ◯

D. caucasicum Meyer. Caucase. Se trouve à des altitudes importantes allant jusqu'à 3 000 m. Il forme de longues racines dans des sols allégés par la lave. Seulement 12 cm de haut. Feuillage épais et attrayant. Fleurs d'un merveilleux bleu, à mouche foncée ; parfumées. Souvent confondu avec *D. elatum*. (1849).

D. cheilanthum Fisch. en forme de guirlande. Sibérie. Environ 90 cm de haut. Feuilles divisées, palmées, à cinq segments. Grappe de fleurs, avec deux à six fleurs.

Couleur des fleurs d'un bleu profond à blanchâtre. Fleurs de 3,5 à 7 cm de long, lorsqu'elles sont cultivées. Sépales sans pointe, éperon aussi long que les sépales. Pétales supérieurs jaunes pâles ou bleuâtres ; pétales inférieurs grands ou ronds. ○

D. cheilantum var. *moerheimii* est une variété de couleur blanche.

D. chinense voir *D. grandiflorum* L.

D. consolida voir *Consolida regalis* et en partie *C. ambigua*.

D. cuyamacea est une sous-espèce de *D. hersperium*.

D. decorum Fisch. et C.A. May. Californie. Vivace à racines charnues. Tiges poussant individuellement et peu ramifiées, ou réunies en un petit nombre, de 30 à 35 cm de haut, poils fins. Feuilles essentiellement basales, de 2,5 à 3,5 cm de large, divisées en trois, le centre de chaque partie non divisé ou trifide. Trois à cinq fleurs par tige, parfois jusqu'à huit. Les sépales sont d'un violet bleuté, 12 mm de long et ont une bande au centre couverte de poils fins. Les pétales supérieurs sont blanchâtres, les pétales inférieurs bleuâtres. Le nom *D. decorum* a été employé à tort dans le passé pour désigner des variétés de *D. elatum* cultivées dans les jardins. ○

D. delavayi Franchet. Chine occidentale. Plante vivace. Des tiges d'un mètre de haut recouvertes entièrement de poils denses et bien séparés les uns des autres, naissent d'un rhizome lignifié. Les poils de l'inflorescence sont, selon le cas, pourvus d'une base jaune gonflée, alors que d'autres sont glanduleux. Les feuilles palmées sont divisées, recouvertes de poils, avec cinq à sept lobes à leur tour encore divisés ou dentés, sans pointe. L'inflorescence est en forme de grappe lâche ou dense, avec de nombreuses fleurs. Les pédoncules ont 1 cm de long ou plus. Sépales de 14 à 16 mm de long, d'un violet bleuâtre ou violet pourpre. L'éperon a 17 mm de long lorsqu'il a terminé de croître. ○

D. denudatum Wallich. Du Pakistan au centre du Népal. Dans des hauteurs de 1 500 à 2 700 m sur des bancs d'herbe, à la lisière de prés. L'espèce la plus connue provient de l'ouest de l'Himalaya. Les racines y sont utilisées à des fins médicinales.

Feuilles arrondies, 5 à 15 cm de diamètre, découpées avec 3 à 5 lobes. Feuilles de la tige très espacées, plus découpées que les feuilles basales et avec des lobes moins larges. Forme une inflorescence très ramifiée avec quelques épis de fleurs la tête en bas. En proportion les fleurs sont petites. Couleur bleue avec du blanc sur les pétales supérieurs à l'intérieur. Fleurit de juillet à août.

D. depauperatum Nutt. (*D. cyanoreiros* Piper, *D. diversifolium* Greene). Nord-Ouest des Etats-Unis, de la British Columbia à l'Atlanta et à la Californie. Sur des pâturages et des pentes humides de 1 500 à 2 500 m. Plante vivace élancée, courtes ramifications. Tiges minces, normalement pas ramifiées, 10 à 60 cm de haut, recouvertes de poils blancs ou jaunâtres en leur partie supérieure. Feuilles basales, profondément découpées, lobes allongés, sans pointe ; par contre les feuilles de la tige ont des lobes linéaires qui sont plus courts. Inflorescence de 5 à 20 petites fleurs d'un magnifique bleu foncé avec la plupart du temps des poils glanduleux dressés. ○

D. divaricatum Ledeb. Asie du Sud-Ouest. Plante annuelle de 45 à 60 cm de haut, très ramifiée, feuilles peu nombreuses. Feuilles divisées plusieurs fois en courts segments linéaires. Fleurs violettes à l'extrémité de la fine ramification. Se trouve de temps à autre dans les jardins. ○

D. dubium (Rouy et Fouc.) Pawl. Alpes du Sud-Ouest. Ressemble à *D. montanum*, mais atteint 30 à 100 cm de haut et porte des fleurs bleu foncé.

D. duhmbergii Huth. Russie occidentale et Sibérie. Plante vivace avec tiges pouvant atteindre 60 cm de haut, velues à l'extrémité inférieure et nues à l'extrémité supérieure. Feuilles avec cinq à sept lobes cunéiformes, fendus. Inflorescence avec de nombreuses fleurs, bleues ou blanches. Eperon droit, 12 mm de long, un peu plus court que les sépales. Pétales noirs. ○

D. drepanocentrum (Brühl) Munz. Est du Népal et Sikkim. Dans des hauteurs de 3 300 à 5 500 m, entre des buissons et sur les pentes découvertes. Feuilles de la tige arrondies avec de 5 à 10 cm de diamètre, les deux tiers découpés en cinq lobes. Les

Delphinium elatum est le géniteur de presque tous nos pieds-d'alouette vivaces. Cette espèce est présente dans les Alpes, les Pyrénées et, de manière sporadique, dans les Riesengebirge.

lobes sont rhomboïdes et dentés. L'inflorescence n'est pas ramifiée et a de 40 à 60 cm de haut, avec de longs poils visibles, séparés les uns des autres, tels des soies. Fleurs sur longs épis de 10 à 30 cm tournés d'un seul côté. Fleurs velues bien visibles, mauves, violettes, avec un éperon recourbé vers le bas.

D. elatum L. (*D. alpinum* Waldst et Kit. *D. intermedium*, Ait.). Plante de montagne eurasienne. Représente le géniteur le plus important de nos pieds-d'alouette des jardins actuels. Croissance touffue et érigée de 1,5 à 2 m de haut. Cinq à sept feuilles fendues. L'inflorescence forme une grappe élancée, peu ramifiée, avec de nombreuses fleurs. Fleurs bleu violet à cœur noir, mellifère. Floraison de juin à juillet. On n'utilise plus cette espèce dans les jardins depuis que l'on a créé de nombreux hybrides de bonne qualité, mais l'amateur de plantes sauvages pourra l'utiliser dans de grands jardins ou des vastes rocailles. La plante est particulièrement belle entre des pins nains, où elle retrouve son milieu naturel des Alpes. On la plante depuis 1578.

La "Flora Europea" distingue trois sous-espèces qui peuvent être identifiées principalement par de petites différences des fleurs : *D. elatum* ssp. *elatum*, *D. elatum* ssp. *austriacum*, *D. elatum* ssp. *helveticum*. ○ ○ ○

D. exaltatum Ait. Du Minnesota à la Caroline du Nord, Alabama et Nebraska. Pousse la plupart du temps dans des forêts. Espèce élancée, 60 à 180 cm de haut. Peu de tiges en bas ; en haut, de nombreux poils. Grandes feuilles, découpées de trois à cinq fois, lobes lancéolés ou lancéolés à l'envers. Grappes de fleurs denses et allongées, dépassant souvent 30 cm de long. Fleurs bleues ou violettes, de juillet et août. ○

D. fissum Waldst et Kit. (*D. hybridum* Steph. ex Willd.). Hongrie, Yougoslavie, Albanie, Bulgarie, Turquie jusqu'au Caucase. Sur des prairies en montagne. Vivace, élancé, droit avec des tiges habituellement non ramifiées, 60 à 80 cm, parfois jusqu'à 1,5 m de haut. Feuilles profondément découpées avec des lobes linéaires, 1 à 3 cm de large. Le pétiole est, la plupart du temps, très élargi à la base. Les segments sont linéaires. Grappe mince et dense de fleurs. Couleur des fleurs lilas ou bleu-violet foncé. Grandes fleurs de 2,4 à 7 cm de long y compris l'éperon plus ou moins à la verticale. ○ ○

D. formosum Boiss. et Huet. non Beaton voir *D. huetianum* Meike.

D. geyeri Green. Utah, Wyoming, Nebraska et Colorado. Sur des versants recouverts de buissons, dans des forêts de pins peu denses, des déserts salés et des steppes à végétation d'armoises. 90 à 150 cm de haut. Rhizome lignifié. Tige rarement tubulaire, simple, couverte de poils ondulés. Feuilles la plupart du temps basales ou situées sur la partie inférieure de la tige, 4 à 25 cm de long, découpées en segments linéaires à allongés de 2 à 4 mm. Inflorescence simple ou blanche. Vénéneux ; il arrive que le bétail soit empoisonné par cette plante. ○

D. glaciale Hook f. et Thoms. Centre du Népal jusqu'au Bhoutan. Sur des hauteurs de 3 300 à 5 500 m, dans des régions humides et brumeuses. Ce Delphinium, très bas, typique de haute montagne, est recouvert de légers poils. La tige des fleurs

Delphinium glaucum est originaire du nord de l'Amérique et son habitat va jusqu'à l'Alaska. La couleur de ses feuilles est plus terne que chez la plupart des autres espèces. Sur la photo, on peut voir cette espèce dans une culture.

feuillue n'atteint que 10 à 30 cm. Sur des hauteurs plus importantes, cette plante est plus basse. Feuilles trilobées, fragiles ; lobes profondément découpés en de nombreux segments dentés. Feuilles en touffes peu fleuries avec de deux à trois fleurs, pouvant atteindre rarement le nombre de cinq. Fleurs en forme de capuchon, mauves à couleur ardoise, de 2,5 à 4 cm, avec des poils. Eperon d'environ 10 mm de long.

D. glareosum Green. Dans les contreforts pierreux des Olympic Mountains et dans la chaîne des Cascades dans l'état de Washington jusqu'au centre de l'Oregon. Espèce basse (jusqu'à 35 cm), robuste, qui pousse à partir d'un rhizome épais, très ramifié, tubéreux et lignifié. Plante à touffe. Feuilles basales à longs pétioles, trilobées, formant un buisson. Les grappes de fleurs lâches sont souvent rameuses. Les fleurs d'un bleu profond velouté apparaissent de juin à août. Cette espèce croît bien dans un jardin s'il y a un bon drainage.

D. glaucescens. Du centre de l'Idaho à l'ouest du Montana et nord-ouest du Wyoming. On le trouve dans des steppes parsemées d'armoises à basse altitude jusqu'à la limite des neiges éternelles. Espèce robuste, 30 cm et plus, à tiges creuses. Feuilles à grandes fentes, aux longs pétioles. Les fleurs violettes et blanches, aux formes irrégulières sont réunies pour former une grappe en épis, la tête en bas.

D. glaucum Wats. (*D. brownii* Rydb., *D. scopulorum* var. *glaucum* (S. Wats.) A. Gray). Très répandu de la Colombie Britannique jusqu'en Alaska, mais aussi dans l'état de Washington. La plupart du temps sur des terrains semblables à des prairies. Cette plante imposante peut atteindre 180 cm de haut. Nombreuses feuilles qui deviennent de plus en plus petites vers le haut ; elles ont cinq à sept lobes et sont fortement dentées. L'inflorescence en épis peut atteindre 30 à 40 cm de long. Les fleurs violettes déçoivent par leur taille si modeste. ○

D. grandiflorum L. (*D. grandiflorum* var. *chinense* (Fisch.) ex DX = *D. chinense* Fisch). Est de la Sibérie, ouest de la Chine. Plante pérenne avec des tiges plutôt élancées, la plupart du temps étalées latéralement, avec des poils fins. Hauteur de 30 cm à 1 m, mais il en existe aussi des formes plus naines. Feuilles inférieures à pétiole ; le pétiole n'est pas très étalé à la base ou amplexicaule. Les feuilles supérieures sont sessiles, divisées en de nombreux segments linéaires. Fleurs de 24 à 36 mm. Sépales bleus ou violets, larges, sans pointe, de 12 à 14 mm de long. Eperon habituellement plus long que le calice. Pétales supérieurs jaunâtres ou bleuâtres, pétales inférieurs bleuâtres, rougeâtres ou blancs. Floraison de juin à août. Plante précieuse pour les plates-bandes et pour les jardins naturels ; s'emploie aussi comme fleur coupée. Ne tient pas très longtemps, s'épuise au cours de l'été. Pousse bien à partir de graines, mais parfois elles ne germent pas. On cultive cette espèce pendant un ou deux ans. On trouve plusieurs sortes dans le commerce, il existe même un type 'Album' de couleur blanche. Pour les variétés, se reporter à la page 44. Il est considéré comme une des espèces les plus appréciées des amateurs. (1753). ○ ○ ○

D. halteratum Siebth. et Sm. Grèce. Annuel poussant dans les champs et les endroits pierreux. Peut atteindre 40 cm de haut, tiges rameuses, avec des poils et des fleurs splendides bleues ; l'éperon est plus long que le calice. Floraison de mai à août.

D. hansenii (Greene) Greene. Californie. Plante vivace avec une racine pivotante de petite taille. Tige jusqu'à 90 cm. Feuilles basales assez grandes (diamètre de 5 à 8 cm) qui disparaissent très vite, légèrement palmées. Les fleurs supérieures sont plus petites et divisées en lobes plus étroits. Sépales violet foncé à bleuâtres, roux ou blanchâtres. ○

D. hesperium A. Gray. Nord et centre de la Californie. Ressemble à *D. hansenii*, mais avec de courts poils recourbés sur le pétiole et sur la feuille et avec des nervures visibles sur le dessous des feuilles.

D. hesperium ssp. *cuyamacae* (Abrams) F.H. Lewis et Epl. (*D. cuyamacae* Abrams) a des fleurs d'un bleu violet foncé et croît surtout dans le sud de la Californie. ○

D. himalayai Munz. Pousse de l'ouest au centre du Népal, à des altitudes de 2 400 à 4 300 m sur des pentes dégagées. Taille de 40 à 60 cm. Feuilles de 10 cm, profondes, découpées presque jusqu'à la base, formant cinq larges lobes découpés à leur tour et dentés. Fleurs d'un bleu violet réunies en un épis de 10 à 15 cm de long, fleuri d'un seul côté. Les pétales extérieurs présentent des poils semblables à des soies sur le dessous, les pétioles sont droits. Chaque fleur a de 20 à 25 mm, y compris l'éperon qui peut atteindre 15 mm de long.

D. huetianum Meike (*D. formosanum* Boiss. et Huet non Beaton). Caucase, Asie Mineure. Plante vivace présentant une tige épaisse, dépourvue ou avec peu de poils. 70 à 90 cm de haut, parfois plus haute (jusqu'à 180 cm), ramifiée. Feuilles vert-gris, cinq à six lobes. Inflorescence présentant de nombreuses fleurs, formant une vaste grappe bien dense. Fleurs bleu profond à violet. Sépales dépassant parfois 24 mm de long. Les pétales inférieurs sont barbés. On la plante parfois comme plante annuelle d'hiver puisque les graines germent légèrement. L'ensemencement en pleine terre a lieu à la fin du printemps ou au début de l'été. Les plantes sont installées à leur place définitive à l'automne. ○ ○

D. hybridum Steph. ex Willd. not hort. voir *D. fissum* Waldst. et Kit.

D. incanum voir *D. roylei* Munz.

D. intermedium voir *D. elatum* L.

D. jaquemontianum Cambess. voir *D. brunonianum* Royle.

D. kamaonense Huth. Népal. A des altitudes de 3 000 à 4 300 m sur des pentes dégagées. Tiges sans poils. Feuilles de la tige de 2 à 4 cm de large, découpées en lobes étroits. L'espèce ressemble à *D. denudatum*, cependant avec une vaste inflores-

cence rameuse à fleurs individuelles et terminales. Les fleurs sont grandes et d'un bleu profond.

D. leroyi Franch. ex Huth (*D. wellbyi* Hemsl.). Montagnes d'Ethiopie. Plante vivace avec des pousses droites de 1,5 m de haut, recouvertes de fins poils recourbés. Feuilles réniformes à arrondies, divisées en cinq segments principaux, cunéiformes à ovoïdes à l'envers, trilobés. Inflorescence en panicule. Les fleurs de couleur blanche à bleu profond sont parfumées. Sépales avec une tache brune. Eperon horizontal à légèrement courbé vers le haut. (1848). ○

D. leucophaeum Greene. Espèce très rare de l'Orégon, où se trouve seulement dans les régions de Clackmas, Marion, Multnomah et Yamhill ou dans quelques régions de l'état de Washington, sur les écueils et les récifs le long des fleuves Willamette et Columbia, et le long des lacs. Ressemble à *D. pavonaceum*. 30 à 75 cm de haut. Cette espèce a des tiges angulaires, courbées dans un sens ou dans un autre qui sont la plupart du temps sans poils. A leur sommet se trouve une grappe de fleurs, avec de nombreuses fleurs. Les fleurs sont blanches, seul le pétale supérieur est d'un bleu violet. Floraison en juin.

D. likiangense Franch. Ouest de la Chine. Tiges jusqu'à 20 cm de haut, presque sans poils. Feuilles à longs pétioles, divisées en de nombreux segments allongés et pointus. Fleurs par deux à cinq presque campanulées. Sépales d'un bleu soutenu à lilas, parfois avec de fins poils. Eperon horizontal, pas plus long que le calice. Pétales lilas. ○

D. luteum A. Heller. Se reporter à *D. nudicaule* var. *luteum* A. Heller. Comme *D. nudicaule*, il a des fleurs seulement dans des tons crème ou jaunâtre et à follicule droit. ○

D. maackianum Regel. Est de la Sibérie. Plante vivace avec tige rameuse, 90 à 1 m de haut. Feuilles jusqu'à 20 cm de large, divisées en cinq parties avec des segments ovoïdes, cunéiformes, découpés ou dentés. Pétiole élargi à la base. Inflorescence en panicule. Fleurs bleues, éperon horizontal ou courbé. Les feuilles bractéales sont colorées.

D. macrocentron D. Oliver. Montagnes à l'est de l'Afrique. Plante vivace velue qui atteint souvent plus de 2 m de haut, avec des feuilles dans la partie inférieure, ramifiée seulement vers l'extrémité. Feuilles divisées cinq à six fois, chaque segment est encore divisé trois à plusieurs fois. Grappe de fleurs, lâche, avec peu de fleurs. Fleur de couleur bleue et verte, suspendue, avec des poils. Larges sépales et éperon blanchâtre jusqu'à 5 cm de long. ○

D. menziesii D.C. De la Colombie Britannique à la Californie. Représente l'espèce la plus répandue sur la côte pacifique, vers l'est en direction de la chaîne des Cascades. Habitat jusqu'à 2 000 m de haut. Taille 20 à 40 cm. Feuilles doubles divisées, palmées, extrémités linéaires. Grappe de trois à dix fleurs, jusqu'à 15 cm de long. Caractéristique de l'espèce : les pédoncules inférieurs sont beaucoup plus longs que les fleurs, les pétales sont légèrement entaillés. Floraison mai-juin. Les racines sont tubéreuses et touffues (rhizomes arrondis ou allongés). Il y a des variétés bleu azur ou bleu-violet ; parfois les deux pétales supérieurs sont blancs, ce qui rend la plante très élégante. Certaines variétés ont de 35 à 70 cm de haut. ○

D. montanum D.C. Pyrénées. Pied-d'alouette atteignant de 15 à 50 (65) cm de haut. Couleur des fleurs bleu foncé. Type *D. elatum*, d'origine contestable. (1815).

D. multiplex (Ewan). C. L. Hitche. Wenatchee Mountains et contreforts est de la chaîne des Cascades au centre de l'état de Washington. Sur les bancs de cailloux des rivières, dans les forêts de *Pinus ponderosa* et dans les steppes. Atteint environ 1 m de haut. Plusieurs pousses se développent à partir d'un système de racines fibreuses. Les feuilles basales sont profondément entaillées, elles disparaissent de bonne heure. Les feuilles sur la tige sont épaisses et charnues et ont des lobes plutôt pointus. Floraison du début de mai à août.

D. muscosum Exell et Hillc. Centre et est de l'Himalaya, en particulier au Bhoutan. Sur des éboulis à environ 5 000 m d'altitude. Plante vivace, de 10 à 15 cm de haut avec des feuilles à longs pétioles. Limbe des feuilles arrondi, vert foncé, avec des poils et finement divisé. Les fleurs sont la plupart du temps individuelles et terminales au-dessus de denses touffes de feuilles hémisphériques. Les fleurs d'un bleu-violet, de 18 à 22 mm de long ont de fins poils sur l'envers, elles sont très grandes par rapport à la hauteur de la plante. Floraison juin-juillet. Plante intéressante pour les amateurs, elle est cependant fragile en pleine terre. Elle a besoin d'un sol sableux et argileux qui doit être maintenu frais. Reproduction par semis. Cette belle plante a sa place dans les jardins alpins, à condition de la planter dans un endroit frais, à l'abri du soleil. Elle ne vit pas très longtemps. Elle est souvent attaquée par les escargots. (1953). ○ ○

D. nelsonii Green. Du sud du Dakota à l'Idaho jusqu'à l'Arizona et le Névada. Souvent à la lisière de la neige fondante, à des endroits qui sèchent cependant en été ; la plante survit avec un fin tubercule. Le classement botanique est un peu remis en cause, *D. nelsonii* est parfois associé à *D. nuttallianum* par certains botanistes. Plante vivace de 20 à 45 cm de haut ; les tiges situées au-dessus des racines se cassent facilement, elles ont un duvet plus ou moins léger. Peu de feuilles, de 2,5 à 5 cm en forme d'éventail, divisées en segments étroits et profonds. Inflorescence de six à dix fleurs individuelles d'un violet bleuté à un bleu blafard. Sépales de 12 à 18 mm de long. Eperon élancé dépassant les 12 mm. On connaît aussi des variétés blanches albinos. Plante à bourdons. Cette espèce aime la fraîcheur et l'humidité. ○

D. nepalense Kitam. et Tamura. Est du Népal jusqu'à Bhoutan. Dans les hauteurs de 4 000 à 5 500 m. Existe une variété naine de 10 à 20 cm poussant en haute montagne. La tige courbée est recouverte de poils blancs recourbés. Les feuilles inférieures présentent trois à cinq lobes rhomboïdes à ovoïdes à l'envers et un bord denté, avec des poils et un long pétiole. Fleurs d'un bleu-violet clair ou foncé, 2,5 à 3 cm de long, individuelles. On trouve cette espèce en particulier dans les hauteurs de l'Idaho.

D. nortonianum Mackenzie et Bush, se reporter à *D. carolinianum* Walt.

D. nudicaule Torr. et A. Gray. Californie et sud de l'Orégon. 20 à 40 cm de haut avec des tiges rameuses, lâches et brunâtres. Feuilles arrondies, charnues, la plupart du temps profondément lobées en trois parties. Fleurs en forme de campanule, avec un éperon long et horizontal, en grappes lâches, d'un orange lumineux. Floraison juillet-août. Le rhizome tubéreux est sensible à l'humidité, c'est pour cette raison que pour sa culture il faut un sol sableux, bien perméable et un endroit ensoleillé. Les plantes ont une floraison rapide et il leur faut un endroit sec ; elles portent de nouveau à la fin de l'automne des feuilles qui doivent être protégées du soleil d'hiver. La reproduction se fait par semis. Les plantes produisent des graines qui germent facilement. Lorsque l'ensemencement se fait tôt, la plante fleurit au cours de la même année. S'emploie comme fleur coupée et dans les jardins alpins. Pendant l'hiver, on peut entreposer les petits rhizomes tubéreux dans la cave, recouverts de sable.

Il y a des variétés d'autres couleurs comme *D. nudicaule* var. *luteum* Jepson (*D. luteum* Hel.) avec des fleurs jaune clair sans tige brunâtre et *D. nudicaule* var. *aurantiacum* Voss avec des fleurs oranges, également sans tige brunâtre. Espèce appréciée des amateurs. (1838). ○ ○ ○

D. nuttallianum G. Pritz. Du sud de la Colombie Britannique jusqu'aux contreforts de la chaîne des Cascades et jusqu'au nord de la Californie. Sur un sol sec, et caillouteux dans les steppes et dans les forêts peuplées de *Pinus ponderosa*. Ressemble à *D. bicolor* ; il a cependant de courts rhizomes et des grappes avec trois à huit fleurs. Fleurs en grappes ouvertes sur des tiges pouvant atteindre 70 cm de haut, qui poussent à grande altitude. Les quelques feuilles basales et celles tout

proches ont de longs pétioles et de lobes profonds. Celles qui sont situées près de la base, disparaissent très tôt. Belles fleurs, un peu retombantes, d'un bleu éclatant ou d'un bleu-violet avec des pétales blanches, mais aussi parfois jaunâtres ou violettes. Floraison de mars à juillet. ○

D. nutallii Gray. Ouest de l'Amérique du Nord. Ressemble aussi à *D. bicolor*, mais avec des grappes denses, de nombreuses fleurs sur de courts pédoncules et avec un éperon de 12 mm. Malgré la similitude de nom avec l'espèce précédente, il s'agit d'une espèce bien définie.

D. occidentale (Wats.) Wats. (*D. barbeyi* Huth). Utah, Colorado, New Mexico, Arizona. Arbuste de 60 cm à 2 m de haut ou plus. Tiges creuses. La plupart du temps, feuilles fixées sur la tige ; la feuille inférieure disparaît dès la floraison. Feuilles découpées en trois lobes principaux et secondaires qui peuvent être dentés ; diamètre de la feuille de 3 à 20 cm. Inflorescence simple ou en panicule, l'axe principal a 10 à 35 cm de long. Fleur violet-bleu à rose et blanc. Les sépales latéraux sont différents.

Delphinium nudicaule. **Cette espèce pas très longève a un rhizome tubéreux et ne supporte pas l'humidité. Elle se multiplie facilement par semis.**

On en connaît deux types : *D. occidentale* var. *barbeyi* et *D. occidentale* var. *occidentale*. On les différencie principalement à cause des poils de l'inflorescence et de la forme des sépales latéraux.

D. orfordii. Il reste à prouver qu'il s'agit vraiment d'une espèce à part. Il serait plutôt une forme naine de *D. nuttallianum*.

D. oxysepalum Borb. et Pax. Ouest des Carpathes, Tchécoslovaquie, Slovaquie et Pologne. Plante vivace atteignant 50 cm de haut, presque glabre à recouverte de duvet. Feuilles divisées en trois à cinq parties, les segments sont finement dentés. Sépales jusqu'à 3 cm de long, éperon courbé. ○

D. paniculatum, sous-espèce de *Consolida regalis*.

D. parishii A. Gray. Etats-Unis (White Mountains). Dans les forêts de pins, des étendues recouvertes de buissons ou désertiques, au fond des canyons, à une altitude de 1 800 à 2 500 m. Plusieurs tiges, de 15 à 60 cm de haut, se développent à partir d'une couronne de racines ligneuses ; elles sont plus ou moins recouvertes de poils. Feuilles en forme de large cœur ou arrondies, subdivisées en trois principaux lobes cunéiformes, diamètre 2,5 à 10 cm. Grappe portant jusqu'à 25 fleurs. Sépales bleu azur de couleur lavande, 6 à 12 mm de long. Eperon 12 mm de long, avec des poils. ○

D. parryi A. Gray. Sud de la Californie. Arbuste avec racines profondes, lignifiées. Tiges élancées pouvant atteindre 90 cm de haut, avec poils fins. Feuilles fixées principalement sur la racine, 2,5 à 7,5 cm de large, divisées en trois à cinq parties, les segments sont subdivisés en lanières linéaires. Grappes de fleurs de 7 à 20 cm de long. Sépales d'un bleu-violet profond, plus de 12 mm de long. Pétales inférieurs bleu-violet. ○

D. pauciflorum Nutt. Ouest des Etats-Unis. Jusqu'à 300 m. Ressemble fortement à *D. menziesii*. Feuilles divisées simplement, palmées. Fleur bleue jusqu'à pourpre clair. A besoin de repos en septembre-octobre.

D. pavonaceum Ewan. Plante endémique qui n'apparaît que dans les prairies de la Central Willamette Valley dans l'Orégon. Ressemble fortement à *D. leucophaeum*, ces plantes étant toutefois plus grandes (plus de 90 cm) et présentant des poils et des glandes. Fleurs avec des sépales blancs, environ 18 mm de long. Les pétales sont beaucoup plus courts ; les pétales supérieurs sont d'un pourpre tirant sur le bleu, les pétales inférieurs blancs. Floraison mai-juin.

D. peregrinum L. Sud-est de l'Europe, Turquie, Liban, Algérie, Maroc. Plante annuelle avec tige élancée, plus d'1 m de haut. Petites feuilles qui tombent vite. Fleurs d'un violet pourpre foncé, 2 à 3 cm de long, y compris l'éperon.

D. polycladon Est des régions occidentales des USA (White Mountains). Prairies humides et canyons, le long des rivières, hauteurs de 2 000 à 3 000 m. Feuilles sans poils. Fleurs bleu profond à bleuté.

D. przewalskii Huth. Ouest de la Mongolie. Environ 25 cm de haut, vivace non velue avec feuilles divisées trois à cinq fois, lobes sans pointe, fleurs normalement terminales. Sépales bleus, éperon droit, aussi long que le calice (18 mm). Pétales brunâtres. Repos en septembre-octobre. (1895). ○

D. purpusii Bdg. Pousse en Californie sur des pentes rocailleuses, en particulier sur le Greenhorn Range. Ressemble à *D. nudicaule*, cependant la tige a des feuilles et les fleurs sont rouge pourpre ou rose foncé (fanées, elles sont de couleur lavande). Adaptée pour jardins alpins. ○

D. pylzowii Maxim. ex Regel. Ouest de la Chine. Plante vivace à longues racines lignifiées. Tiges jusqu'à 25 cm de haut, plus élancées en culture (jusqu'à 60 cm), couvertes de feuilles, avec de fins poils soyeux. Feuilles arrondies divisées, réniformes à palmées, lobes sans pointe. Inflorescence d'une à trois fleurs. Sépales violet pourpre, 6 cm de long. Eperon droit ou à extrémité courbée.

D. pyramidale Royle (*D. ranunculifolium* Wallich). Pakistan au centre du Népal, en particulier au Cachemire. Ne pas confondre avec *D. pyramidatum* auct., non Albov ! Sur des pentes découvertes, entre les buissons. Ressemble à *D. himalayai*, mais on le reconnaît à son inflorescence moins fournie et plus ramifiée avec de nombreuses grappes de fleurs terminales bleues et violettes. Feuilles de 15 cm, avec plusieurs lobes écartés. Chaque fleur peut atteindre 3 cm. Pétales couverts de poils sur les deux côtés. Floraison juillet-septembre.

D. rectivenium Roylei, se reporter à *D. vestitum* Wall. ex Royle.

D. requienii D. C. Sud de la France. Ressemble à *D. staphisagria*. Aime les endroits ensoleillés. Belle plante, assez rare, plus ou moins vivace. Environ 60 cm de haut. Feuilles divisées et palmées sur des pétioles vert foncé, couverts de poils. Porte à son extrémité une inflorescence pouvant atteindre 30 cm avec des fleurs simples d'un bleu profond. (1815). ◯

D. roylei Munz (*D. incanum* Royle non E.D. Clarke). Du Cachemire à l'Himachal Pradesh, à une altitude de 1 800 à 2 400 m, sur des versants découverts et buissonneux. Inflorescence de 50 à 100 cm de haut. Feuilles de la tige sans pétiole, très espacées, découpées en de nombreux lobes étroits, pointus, de 1 à 2 mm de large. Fleurs bleues magnifiques sur un épis allongé, de 10 à 20 cm de long, ramifié parfois à la base. Floraison de juillet à septembre. ◯

D. saniculaefolium Afghanistan, Punjab, Hindukush. Plantes moyennement grandes avec ramification qui se déploie. Feuilles de 3,5 à 7 cm de large, découpées presque jusqu'à la base. Les segments latéraux sont bilobés et tous les lobes sont cunéiformes et divisés. Fleurs regroupées en longues grappes, 12 mm de long, bleu pâle à bleu foncé.

D. scabriflorum D. Don (*D. altissimum* Wallich). Ouest du Népal jusqu'à l'Arunchal Pradesh, à une altitude de 1 500 à 2 400 m, sur des pentes recouvertes d'herbe. Feuilles de 15 cm, avec cinq lobes profonds ; les lobes principaux sont divisés et dentés. Fleurs d'un bleu profond couvertes de poils denses avec un éperon important sur une grappe en épis ; une ramification peu fleurie part de la base. Les sépales extérieurs mesurent 15 mm, l'éperon 20 à 22 mm. Floraison en août-septembre.

D. scopulorum A. Gray. New Mexico, Arizona. Pousse le long des fleuves dans les herbages, mais aussi sur les pentes pierreuses. Ressemble fortement à *D. glaucum*, et il y a lieu de s'interroger si son statut d'espèce est bien justifié. Plante vivace de 60 à 160 cm de haut ; feuilles divisées cinq à six fois, larges de 2,5 à 7,5 cm, segments pointus à fendus. Fleurs bleu indigo. Sépales et éperon de 12 mm de long. ◯

D. scopulorum var. **glaucum**, se reporter à *D. glaucum*.

D. semibarbatum Bien ex Boiss. (*D. zalit* Aitch. et Hemsl., *D. sulphureum* hort.). Pied-d'alouette jaune soufre. Dans les déserts d'Iran, d'Afghanistan, jusqu'au nord de l'Inde. 80 à 170 cm de haut. Rhizome tubéreux. Feuilles palmées très finement découpées, segments lancéolés. Les pousses des fleurs sont très élancées et ramifiées. Fleurs d'un jaune lumineux en grappes très lâches. Floraison en juin-juillet. Pousse bien dans les jardins, cependant a besoin d'un endroit protégé de l'humidité, d'un sol sableux et humeux, riche en éléments nutritifs et de beaucoup de soleil. Plante vivace intéressante pour collectionneurs, mais qui ne vit pas très longtemps. Bonne fleur à couper utilisée dans l'ancienne Perse pour teindre la soie. Eventuellement le rhizome tubéreux peut être mis à l'abri l'hiver en châssis. Il est important de procéder au semis immédiatement après la maturité. Variété conseillée aux amateurs. (1888). ◯ ◯

D. simonkaianum. Endémique en Roumanie. Sur les rives boisées des rivières de montagne. Fleur de haute taille.

D. simplex Dougl. non Salisb., se reporter à *D. burkei* Greene.

D. speciosum Bieb. Asie du Sud-Est. Semblable à *D. elatum*. Tiges solitaires, couvertes de duvet, pouvant atteindre 80 cm de haut. Feuilles divisées en cinq avec de larges parties finement dentées. Fleurs de 3 cm ou plus, sépales violets, pétales noirs. Eperon courbé vers le bas en forme de crochet. Graines squamifères. (1808). ◯

D. sulphureum, se reporter à *D. semibarbatum*.

D. stapeliosum Brühl ex. Hurth. De l'ouest à l'est du Népal, sur des hauteurs de 1 200 à 3 000 m. Tiges droites, ramifiées, jusqu'à 1 m de haut, recouvertes de poils raides et

Delphinium tatsienense ressemble au *Delphinium grandiflorum*, à une différence près que les fentes des feuilles sont encore plus profondes. Ces deux espèces sont des morceaux de choix pour les escargots ; on doit faire très attention ! Cette photo nous le montre au Schachengarten, une station du Jardin botanique de Munich située dans les Alpes.

courbés. Feuilles arrondies et réniformes, profondément découpées en trois segments, à dents grossières, segments latéraux irrégulièrement bilobés. Fleurs réunies en grandes grappes lâches, violettes ou d'un bleu profond, environ 3 cm de taille. Floraison de juillet à octobre.

D. staphisagria L. Yougoslavie, Albanie, Grèce. En particulier à la lisière des prés. Inflorescence pouvant atteindre 150 cm de haut. Feuilles avec cinq à neuf larges lobes. Longs épis velus, fleurs bleues pouvant atteindre 3 à 4 cm de long avec éperon très court, en forme de sac. Floraison de mai à août. Plante très vénéneuse. Utilisée en médecine et dans la fabrication de produits insecticides.

D. tatsienense Franch. Ouest de la Chine. Ressemble à *D. grandiflorum*, cependant avec feuilles en trois parties à la base et non palmées. 30 à 45 cm de haut. Inflorescence plus étalée. Aspect général des fleurs bleu gentiane à bleu-violet. Fleurs de 3 cm de long, sépales bleu-violet avec une tache près de la pointe, large et émoussée. Eperon de 18 à 24 mm de long. Pétales supérieurs jaunes foncés, pétales inférieurs bleus à frange

jaune. Espèce de bonne croissance, mais qui ne vit pas longtemps. A planter dans les rocailles. On trouve aussi une variété de couleur blanche pour jardins : *D. tatsienense* 'Album'. Classée dans les variétés pour amateurs. (1893). ○ ○

D. tricorne Michx. De l'ouest de la Pennsylvanie au Minnesota et plus loin vers le sud. La plupart du temps dans des régions boisées, mais aussi sur des roches calcaires peu fertiles. Tiges des fleurs robustes, simples, de 30 à 90 cm de haut. Feuilles présentant cinq à sept lobes profondément découpés. Grappes de plusieurs fleurs, splendides, bleues, violet pourpre ou blanches. Fleurs individuelles, de 2,5 à 3,5 cm.

D. trilobatum, se reporter à *D. viscosum*.

D. triste. Sibérie. Fleurs brunâtres à bord roux.

D. trolliifolium A. Gray. Oregon et nord de la Californie. La plupart du temps dans des forêts humides. Rhizome profond, vertical, lignifié, robuste, pas tubéreux. Cette plante vivace atteint environ 50 à 60 cm de haut, les tiges sont partout recouvertes de feuilles. Feuilles de 10 à 15 cm de large, arrondies, divisées en cinq à sept parties. Les segments sont trilobés, cunéiformes à ovoïdes à l'envers. Les feuilles supérieures sont plus petites. Inflorescence de 15 à 30 fleurs, lâche à dense. Couleur général des fleurs bleu profond, sépales pourpre-violet. Adapté pour jardin alpin. Repos en septembre-octobre.

D. uliginosum Curran. Californie. Le long des rigoles, sur des pentes rocheuses ou le long des ruisseaux dans les cailloux. Arbuste pouvant atteindre 60 cm de haut, avec des feuilles longues de 15 cm, en forme d'éventail et cunéiformes, dont la moitié est représentée par le mince pétiole. Les premières ne sont que dentées, les autres fendues. Fleurs en grappes bleues, rarement roses. Se différencie des autres espèces par la forme de sa feuille qui est écartée. Bon pour jardin alpin. Repos en septembre-octobre. ○

D. variegatum Torr. et A. Gray. Centre de la Californie. Racines à petit tubercule. Tiges simples, jusqu'à 60 cm de haut, avec peu de poils ou velues. Les feuilles sur la tige, de 1 à 5 cm, sont divisées en trois, à

velue de 50 cm à 1 m de haut. En général, tiges pas ramifiées. Feuilles basales de 15 à 25 cm, au long pétiole, avec cinq à sept lobes ; les segments sont eux-mêmes lobés et fortement dentés à l'extrémité. Feuilles de la tige semblables, mais plus petites. Les feuilles sont arrondies, avec des poils. Le pied fleuri de 30 cm, est simple ou un peu ramifié en bas. Belles fleurs, nombreuses, de 24 à 28 mm de long, bleuâtres avec un centre foncé ou violet. Floraison en août. Bel aspect. ○

D. villosum. Région de la Haute Volga. Plante vivace de 120 cm. Fleurs bleues.

D. viscosum Hook. f. et Thoms. Du centre du Népal à l'est du Tibet. Sur des pentes caillouteuses de 3 600 à 4 500 m de haut ; espèce pas très répandue. Feuilles lobées jusqu'au milieu seulement, avec des dents arrondies. Pédoncule de 10 à 20 cm. Ressemble à *D. cashmerianum*, mais normalement il a des fleurs jaune-vert et bleu clair ou mauves. Fleurs solitaires ou quelquefois réunies en bouquet sur de longues tiges.

D. virescens. De l'Illinois au Manitoba et plus loin vers le sud jusqu'au Kansas et Texas. Dans les prairies et dans les vallées des rivières. De 35 à 100 cm de haut. Feuilles finement fendues. Longues tiges portant de nombreuses fleurs solitaires blanches ou d'un blanc bleuté avec un éperon bleuté, horizontal ou parfois légèrement recourbé vers le haut. Etamines ondulées. (1818). ○

D. wellbyi, se reporter à *D. leroyi*.

D. zalil, se reporter à *D. semibarbatum*.

Ici, Delphinium vestitum. **Même si les pieds-d'alouette n'ont pas tous un aspect attrayant, les amateurs recherchent aussi les espèces moins connues.**

Consolida regalis **(dans le commerce** *Delphinium consolida***). Ici la variété 'Exquisit' dans un délicat mélange de couleurs. Sa culture n'est pas toujours facile, mais en contrepartie elle se ressème facilement.**

Les espèces Consolida

Ces espèces sont présentées dans la plupart des livres et catalogues comme appartenant au genre *Delphinium* ; mais ceci est inexact.

Consolida ambigua (L.) P. Ball et Heyw. (*Delphinium ajacis L.*), dauphinelle à fleur de jacinthe. Floraison d'été, entre 40 et 110 cm de haut, dans les régions méditerranéennes. Il croît à l'état sauvage en Europe Centrale. Plante à tige unique

segments écartés. Inflorescence portant peu de fleurs. Fleurs de 12 mm de long, sépales bleu clair à bleu-violet soutenu ; les pétales supérieurs sont jaunes ou blanchâtres. Eperon horizontal, plus de 12 mm de long. ○

D. vestitum Wall. Régions tempérées au centre de l'Himalaya occidental. On le trouve à une altitude de 2 800 à 3 800 m, mais jamais en grand nombre. Espèce très

avec une inflorescence réunissant de nombreuses fleurs en grappe. Les feuilles inférieures ont un pétiole et sont plusieurs fois palmées, les feuilles supérieures sont presque sessiles et la plupart du temps présentent trois fois trois fentes. Fleurs à éperon court, violet bleuté ; plantes isolées aussi blanches et roses. Floraison de juin à août. De nombreuses cultures (voir page 43). ○ ○ ○

Consolida orientalis (Gay) Schrödinger. Sud et est de la presqu'île ibérique. Introduit dans de nombreux pays du sud-est de l'Europe. Tiges simples ou rameuses, 1 m de haut. Fleurs basales avec segments linéaires, allongés. Inflorescence en grappe. Fleurs pourpre-violet. ○

Consolida regalis S. F. Gray (*Delphinium consolida L.*). Espèce très répandue en Europe et en Asie mineure. A une hauteur de 30 à 50 cm (espèces de culture jusqu'à 120 cm). Les tiges rameuses portent des feuilles divisées deux ou plusieurs fois. Les fleurs violettes forment des grappes composées. Floraison en juillet-août. Il existe de nombreuses variétés pour jardin, dont on ne peut pas toujours déterminer exactement l'origine (se reporter à page 43 et suivantes). ○ ○ ○

Expériences horticoles

Mmême si les pieds-d'alouette vivaces poussent sans trop de difficultés, il convient cependant d'observer certaines conditions pour obtenir qu'ils dégagent toute leur beauté.

L'emplacement

Le sol

Tous les sols de jardin conviennent ; un sol sableux et argileux serait presque idéal. Lorsque le sol est loin d'avoir ces qualités, il faut essayer de s'en rapprocher le plus possible. La rétention d'eau des sols très légers doit être au moins corrigée en ajoutant de l'humus. Autrefois, on ajoutait de la tourbe, c'était un moyen de corriger le sol. Mais il faut faire attention à ne pas gaspiller cet élément naturel. On peut par contre l'améliorer avec de l'humus ou du compost préparé chez soi ou acheté.

L'humus d'écorce est bien approprié, mais, en aucun cas, il ne faut y mélanger de paillis d'écorce. Le paillis d'écorce est une écorce de pin, en petits morceaux, non traitée, qui peut contenir des parasites de conifère, des restes d'insecticides et en particulier des acides de résine en quantités fortement concentrées. On produit de l'humus d'écorce (ou du compost d'écorce) qui évite les propriétés négatives du paillis. L'humus d'écorce a de faibles pouvoirs d'engrais et ce substrat présente aussi un déficit en azote : pour y remédier, il faut ajouter de l'engrais azoté, comme par exemple la farine de corne torréfiée.

On peut aussi utiliser comme humus de l'engrais de bovins bien décomposé qui a en plus de bons effets de fumure. Egalement valable du crottin de cheval, à condition qu'il soit bien décomposé. Etant donné que les racines du Delphinium ne sont pas très profondes il suffit de placer ces éléments organiques dans la couche supérieure de la terre jusqu'à environ 40 cm de profondeur. On doit faire ce travail lorsqu'on est sûr que la plante vivace restera plusieurs années au même endroit ; il se formera, avec le temps, un énorme rhizome. Bien que le pied-d'alouette aime en principe les endroits argileux, il peut arriver que ces sols soient trop lourds. Les éléments organiques participent, ici, à l'amélioration du sol. On peut aussi ajouter du sable, mais en aucun cas du sable

Lorsqu'on aime les contrastes de couleur, on peut combiner le pied-d'alouette avec le pavot oriental. Les audacieux choisiront des variétés de couleur rouge, les autres des tons pastels. Le contraste est encore plus évident à côté de fleurs blanches.

contenant de l'argile qui ne servirait à rien, mais un sable sans argile (sable de rivière ou gravier lavé avec des grains de 0 à 3 mm). Le Delphinium est, au fond, une plante assez fragile. Dans les sols qui ne présentent pas toutes les qualités requises, il aura besoin d'un certain temps pour prendre son essor, mais il deviendra ensuite très beau. Par contre il n'est pas difficile en ce qui concerne le pH du sol ; il faut simplement éviter un pH trop élevé ou trop bas. Il pousse bien dans des sols légèrement acides, neutres ou légèrement basiques.

Lumière

Le Delphinium des jardins aime au fait la lumière et le soleil et, lorsqu'il en manque, sa robustesse est mise à l'épreuve. Les plantes robustes peuvent se contenter de la pénombre et résister en cas de compression de la racine. Moins elles sont solides, plus elles risquent d'être contaminées par les maladies (en particulier par l'oïdium). Si on ne peut pas, pour des raisons esthétiques, se passer de Delphiniums à ces endroits, il faudra éliminer les effets négatifs en élaguant les ligneux qui font trop d'ombre et en séparant la racine de cette plante vivace de celle de

l'arbuste, à l'aide d'une feuille de plastique ou de carton épais ou d'un matériau semblable.

La plantation

Période

Les méthodes actuelles de culture, en comparaison avec celles d'autrefois, laissent l'acheteur libre quant à la date de plantation, même au dernier moment. Il y a cinquante ans, le pied-d'alouette était planté et cultivé en parterres dans les exploitations horticoles. Aujourd'hui, qu'il soit produit par division des souches ou par semis, comme le Delphinium-Pacific, il est présenté en pots de platique ou containers, si bien que les plantes peuvent être replantées, à n'importe quel moment, en pleine terre. Cependant, peu de choses ont changé en ce qui concerne la date principale de plantation au printemps et à l'automne. En particulier, lorsqu'il s'agit d'une plantation effectuée au début du printemps, on a encore toute la floraison devant soi. Etant donné que les mottes de terre adhérentes aux racines ne subissent que peu de préjudice lorsqu'on transplante la marchandise du container, les plantes continuent à se développer rapidement. Après le repiquage, il faut bien arroser - et encore plus en cas de sécheresse.

Dans mon jardin, les Delphiniums plantés il y a 25 ans existent toujours, mais logiquement ils ne sont pas restés à la même place : ils ont été plusieurs fois divisés et replantés à un autre endroit. Il est difficile de préciser combien de temps une plante peut rester au même endroit. Cela dépend du sol et de la quantité d'éléments nutritifs. Mais, même en utilisant les meilleurs engrais, il faut transplanter quelques années plus tard.

Des produits de décomposition propres à l'espèce et d'autres symptômes de lassitude font que la plante ne pousse plus dans des conditions optimales. En général, il est conseillé de diviser et de replanter tous les

Profondeur de plantation d'un Delphinium.

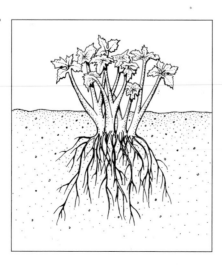

quatre ou cinq ans. Dans les sols légers en particulier, il est important de replanter au bon moment.

Dans mon jardin dont le sol est argileux, les groupes de Delphiniums sont restés au même endroit parfois même pendant huit ans. Ceci apporte une indication sur la capacité de durée des Hybrides de Delphinium-Elatum d'Europe Centrale.

Par contre, les Pacific-Hybrides doivent être divisés et plantés plus souvent, si on ne veut pas risquer de les perdre.

Espacement et groupes de plantes

L'espacement idéal entre les plantes dépend de la constitution du sol, de sa teneur en éléments nutritifs et d'autres facteurs encore. Lorsqu'on prépare les nouvelles plantations, on peut respecter un écart de 60 à 70 cm, qu'il s'agisse de deux plantes de la même espèce ou d'un pied-d'alouette et d'une plante vivace de haute taille. Pour des espèces de petite taille, on pourra par contre diminuer de deux tiers environ l'écart minimum. Ces données sont valables pour le pied-d'alouette des jardins annuel mais pas pour les Delphiniums.

Un grand pied-d'alouette est déjà à lui tout seul quelque chose d'imposant, si bien que dans un petit jardin il en suffit d'un au milieu d'un groupe de trois plantes le long des plates-bandes. Aujourd'hui il n'est pratiquement plus question de planter des groupes plus grands, par exemple de cinq plantes, étant donné la taille des jardins actuels.

Lorsqu'on choisit sa place entre des plantes vivaces, il ne faut pas perdre de vue le fait qu'une fois la floraison terminée, l'ensemble n'aura plus un très bel aspect. Pour cette raison, il serait donc opportun de planter le groupe au milieu ou à l'arrière-plan du parterre afin qu'il soit plus tard facile d'occulter ce vide momentané.

Les soins

Fertilisation

En ce qui concerne la fertilisation, le pied-d'alouette apprécie les bonnes choses ; cet arbuste doit en effet produire annuellement un certain volume de masse verte et de fleurs, et ceci même deux fois, s'il y a une remontée à l'automne. La fertilisation peut être à base organique ou inorganique. Une trop grande quantité d'engrais d'origine animale peu décomposé, posé en surface, attire les escargots voraces. L'engrais d'origine minérale doit être appliqué sur la surface en mars afin que les éléments nutritifs soient aussi présents dans les mottes de terre qui entourent la racine, dès le début de la croissance rapide de la plante.

Pendant la croissance, on peut verser un peu d'engrais liquide avec l'arrosoir, cependant avec mesure et pondération. Premièrement, cet apport supplémentaire d'engrais dépend de la teneur de la terre en éléments nutritifs (la plupart des sols des jardins privés ont une trop grande quantité d'engrais). Deuxièmement, on peut se demander si un apport supplémentaire d'éléments nutritifs ne ramollit plutôt la plante et n'en diminue la résistance. En ce qui concerne la fertilisation, il faut avoir un peu de doigté.

Les sols maigres ont besoin d'un apport supplémentaire d'urée pour éviter un éventuel manque d'azote ou à titre préventif. Dans mon jardin, j'ai dû employer de l'engrais liquide après avoir rabattu les plantes afin d'obtenir une deuxième floraison. Il est recommandé d'utiliser un engrais minéral complètement soluble et agissant immédiatement.

Apports en eau

Le pied-d'alouette, d'une part, n'est pas une plante pour sols très secs et, d'autre part, il ne devrait jamais être soumis à un manque d'eau prolongé.

Dans ce cas, les effets sont bien visibles : certes, il y a encore quelques feuilles vertes sur les tiges, en haut, et les panicules de fleurs persévèrent sans se laisser troubler. Mais qu'en est-il de la région inférieure de la plante ? Les deux tiers de la longue tige n'ont plus que des feuilles sèches.

En mai-juin, pendant la période de croissance, il pleut parfois dans nos régions et ce n'est plus la peine de se faire du souci pour l'arrosage. Les fortes dépressions printanières ont leur effet positif. Mais interviennent au cours du développement successif des périodes de sécheresse où il faut arroser pour éviter que les feuilles à la base ne sèchent.

Les arrosages effectués avec un arroseur automatique peuvent, d'un autre côté, abîmer l'aspect de la plante. L'eau s'amasse, en effet, surtout entre les fleurs et l'axe de l'inflorescence. Cela provoque une telle surcharge que la panicule, voir toute la plante, plie sous le poids. Il est préférable d'arroser avec un tuyau posé par terre ; il suffit alors d'un petit débit d'eau de robinet. Il existe aussi des tuyaux pulvérisateurs que l'on place sur le sol et qui sont très pratiques ; il en est de même des petits arroseurs bon marché qui, enfoncés dans le sol, pulvérisent finement l'eau.

Donc, en principe, il ne faut pas utiliser de grandes quantités d'eau. Arroser abondamment et pas trop souvent est mieux qu'arroser peu et à maintes reprises. On peut aussi remédier à la sécheresse du sol par un paillis. L'humus d'écorce et le compost, sans mauvaises herbes, sont des matériaux très appropriés.

Taille pour obtenir la remontée

Le jardinier novice ne peut pas se résoudre à couper presque toute la plante ; il ne coupe que les inflorescences, une fois les fleurs fanées, et laisse les hautes tiges avec leur masse de feuilles. Celles-ci restent encore vertes quelque temps pour jaunir en

été. Il est erroné également de rabattre la plante jusqu'au sol toute de suite après floraison. Karl Foerster écrit à ce propos : ''Les tronçons gouttent pendant dix semaines et il n'en sort pas une seule pousse solide''. Il est donc conseillé de rabattre la dauphinelle, après sa floraison, à 20-30 cm au-dessus du sol. On fait du compost avec tout ce que l'on a coupé. Si les feuilles sèches se trouvent encore sur les tiges on peut les enlever pour des raisons d'esthétique. Pour terminer, il faut bien arroser, mais éviter cependant que l'eau ne pénètre dans les creux des tiges et, comme indiqué à page 65, il faut administrer un engrais liquide.

Les diverses espèces remontent de manière différente et, enfin, la floraison d'automne dépend de la situation du jardin. Dans les régions à climat doux, le pied-d'alouette peut fleurir jusqu'à trois semaines plus tôt que dans les régions au climat plus rude. Cette plante vivace peut donc faire une remontée tardive qui sera très courte, car dans certaines régions les premières gelées apparaissent dès l'automne. En Bavière, seules les espèces qui fleurissent précocement remontent, et encore si le climat est favorable. Les fleurs tardives, n'ont aucune chance de refleurir, elles n'ont pas assez de temps. 'Tropennacht', une espèce ancienne découverte par Foerster, se révèle être, dans mon jardin, la plante la plus sûre parmi dix espèces, quant à sa faculté de remonter.

Résistance

La résistance des hampes de pieds-d'alouette dépend de nombreux éléments. Tout d'abord, il y a la question de l'espèce. Les espèces qui ont une taille de 180 à 200 cm sont, bien sûr, moins stables que celles qui ont de 100 à 120 cm. Mais la hauteur n'est pas le seul critère déterminant : il y a la constitution générale, la solidité du tissu cellulaire et d'autres facteurs qui jouent un rôle déterminant. Les croisements d'Europe Centrale ont toujours été effectués en fonction du facteur ''résistance''.

D'autres facteurs viennent s'y ajouter : la tige de la plante est plus solide dans les sols argileux que dans les sols très légers.

Le niveau nutritionnel agit également. La plante doit être bien nourrie, en évitant toutefois de mettre trop d'engrais ; un apport trop grand en éléments nutritifs lié à d'importantes quantités d'eau conduirait en effet à des ramollissements.

Les circonstances extérieures doivent aussi être prises en compte ; le danger que panicules et tiges cassent est beaucoup plus grand dans les endroits exposés au vent que dans les endroits protégés. Comme nous l'avons déjà dit, un arrosage mal approprié augmente le danger de fragilité de la plante.

Pour prévenir tout cela, il faut entourer en mai la plante d'une ficelle qui maintiendra toutes les pousses qui sont en train de grandir. La ficelle, au début visible, est rapidement recouverte par les feuilles si bien qu'elle est à peine gênante. En aucun cas, il ne faut utiliser un fil de fer, si fin soit-il.

Sous la pression du vent, il deviendrait coupant et la plante se casserait. Il est préférable d'utiliser une ficelle de chanvre ou de sisal.

Dans les endroits exposés au vent ou là où il y a un danger que la ficelle se rompe, il y a d'autres possibilités de soutien. Enfin, on peut utiliser aussi un bâton de bois, avec le danger toutefois qu'il soit trop épais en proportion de la plante et donc peu esthétique.

Lorsqu'on approche de près en Angleterre les plantations de pieds-

Les trois phases selon le rythme des saisons : pieds-d'alouette en fleur en juin ; rabattus après floraison ; nouvelle floraison en septembre-octobre.

Dans les endroits exposés, il faut soutenir à temps les plantes avec des tuteurs.

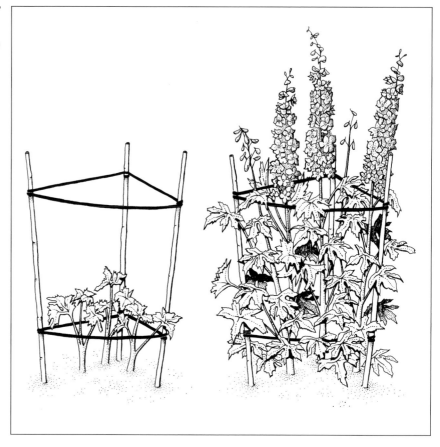

d'alouette, on pourra être surpris par le réseau de fils très fins qui entoure la plante. Cela est nécessaire étant donné le climat du pays (vent constant et pluies fréquentes), mais aussi à cause – chez les plantes vivaces âgées – des énormes panicules propres aux espèces britanniques avec leur large base.

Mon jardin est exposé aux courants venant de l'ouest. Dans la plupart des cas, je n'utilise ni ficelle, ni tuteur. Je place les plantes assez serrées les unes à côté des autres si bien qu'elles se protègent mutuellement ; de cette manière il arrive rarement qu'une panicule ou une tige ne cassent sous l'action du vent.

La multiplication

Le choix n'est pas toujours libre entre multiplication générative (par l'ensemencement) et multiplication végétative (par division des souches). La méthode de multiplication dépend du groupe respectif. En ce qui concerne les espèces de *Delphinium*, le choix est libre avec toutefois des restrictions.

La multiplication par semis ne présente aucun problème, lorsque les graines proviennent de plantes vivant dans leur habitat naturel. Le problème se pose par contre lorsque le pied-d'alouette de culture et les espèces sauvages cohabitent dans un espace restreint : ici, on en arrive irrémédiablement à une hybridation provoquée par les insectes. On constate alors que *D. elatum* ressemble souvent plus à une variété de *Delphinium* et que de nombreux hybrides de *D. cashmerianum* présentent la même couleur de la plante-mère, alors que leur taille est celle de la plante-père. Si l'on souhaite obtenir des espèces de *Delphinium* par semis, le mieux est de s'adresser aux marchands grainiers.

Les espèces qui présentent une autre couleur, comme *D. naudicaule, D. cardinale, D. semibarbatum* (*D. zalil*), ne présentent aucun risque d'hybridation. En ce qui concerne les espèces *D. grandiflorum* et *D. tatsienense*, le danger de croisement reste moindre.

On peut naturellement employer la multiplication végétative pour la plupart des espèces. Cela est toutefois plus difficile pour celles qui présentent de petits rhizomes tubéreux.

Le semis est la technique normale de multiplication pour les Pacific-Hybrides et aussi pour les types Belladonna, qui ont en effet été cultivés et améliorés pendant des décennies pour répondre à cette méthode.

Cependant on peut également multiplier par division les plants de bonne qualité obtenus par semis, en vue de cette méthode de multiplication, comme par exemple des variétés d'un rose profond et lumineux. Pour les espèces et les variétés annuelles (*Consolida*), le semis est la seule méthode de multiplication possible. On peut trouver des détails supplémentaires à ce sujet dans le chapitre ''Splendeur des fleurs d'été : les dauphinelles annuelles'', page 38.

Il faut par contre utiliser la multiplication végétative pour les belles obtentions comme les Hybrides de *Delphinium*-Elatum, qu'ils proviennent d'Allemagne, d'Angleterre ou des Pays-Bas. On peut naturellement aussi semer leurs graines, la plupart du temps produites en grande quantité, mais la deuxième génération n'atteint pas, en général, le standard de la plante-mère, et on constate que les descendants se métamorphosent sur le plan génétique.

Multiplication générative

On peut déterminer la grandeur et la structure idéale de la graine de pied-d'alouette. Elle doit être ni trop grande ni trop petite, si bien que l'on obtient des semis à peine denses comme c'est souvent le cas pour les graines très fines. Pour 1 000 plantes, on peut prendre une quantité de 10 à 20 g. Ce nombre approximatif est valable pour toutes les variétés et espèces de Delphiniums. (Pour *D. nudicaule* et *D. semibarbatum*, 5 g de graines suffisent pour

Multiplication générative. Le pied-d'alouette germe dans l'obscurité : pour obtenir les meilleurs résultats, il faut donc couvrir le châssis avec du papier journal.

1 000 plantes). La grandeur des graines est cependant différente, ainsi pour 1 g de semences de *D. cashmerianum*, on obtient 2 750 grains, pour les Hybrides de *Delphinium*-Elatum entre 300 et 500, pour *D. elatum* 520, pour *D. grandiflorum* 500 à 700, pour *D. nudicaule* 1 300 et pour *D. semibarbatum* 1 400. Le pourcentage de germination moyen acceptable est de 50 à 60 %. La faculté de conservation est d'un à deux ans, lorsque l'endroit est frais et sec. Ce qui ne signifie pas que rien ne germe plus passé trois ans, mais que la quantité de grains capables de germer est moins grande.

L'ensemencement aura lieu dans un espace réservé à la multiplication ne contenant pas de graines de mauvaises herbes, ni de parasites ou d'agents pathogènes mycosiques. Chaque pépinière aura un endroit réservé à la multiplication ; on conseille au jardinier amateur d'acheter un substrat pour semis ou un substrat de tourbe. (Pour le semis, l'utilisation de petites quantités de tourbe se justifie complètement). Il faut mélanger ces substrats avec du sable dans la proportion de 1:1, ce qui représente un avantage puisqu'on économise du substrat de tourbe et, en plus, le sable ajouté gardera l'humidité nécessaire au cas où les semis seraient au sec.

L'amateur pourra semer dans des grands pots de terre ou de petits bols à graines puisqu'il s'agit, la plupart du temps, de petites quantités. Le jardinier de métier sème dans des caissettes à semis ou dans des châssis. Si vous voulez semer de plus grandes quantités, vous pouvez semer directement en pleine terre : il faut alors bien préparer les parterres.

Il n'y a pas de date précise pour semer. On peut semer de décembre à mars, auquel cas le Delphinium Pacific portera déjà une tige fleurie en été et à l'automne. A cette époque, les plantes en containeur se vendent bien. On peut aussi obtenir des semis à la maison ou en caisse presque toute l'année.

La température de germination sous serre s'échelonne entre 10 et 15 °C environ. Les nouveaux Hybrides, comme 'Magic' (mélange Fountain), exigent une température plus élevée (environ 22 °C).

Bien que le pied-d'alouette comme toutes les Renonculacées, germe à froid, les Hybrides n'ont pas besoin de basses températures pour leur germination. Mais le froid ne nuit jamais. Les espèces originaires de lieux à grande altitude ont toujours besoin de froid : ainsi *D. semibarbatum*, si l'ensemencement n'a pas lieu immédiatement après la récolte des graines.

Le plus haut quota de germination est obtenu lorsque les graines sont semées immédiatement après la récolte. Si on sème plus tard, on obtient une germination irrégulière. Il ne faut pas jeter les récipients à graines trop tôt, car il y a des retardataires. La germination se fait normalement entre trois et quatre semaines (20 à 30 jours). Certaines espèces germent déjà après trois jours, d'autres après plusieurs mois. Le Delphinium germe normalement à la lumière, mais il est inutile d'accorder trop d'attention à ce problème. Il faut traiter normalement les graines, c'est-à-dire les saupoudrer finement de substrat.

On peut repiquer environ six à huit semaines après le semis. Le jardinier repique dans des pots de 10 cm ou dans des packs ; il ne faut pas utiliser de substrat de tourbe à l'état pur, mais un substrat à base d'argile avec une bonne possibilité de rétention d'eau et bien enrichi. Pour pousser la plante a besoin d'une température de 5 à 10 °C. Quatre mois plus tard, le Delphinium Pacific a atteint sa hauteur définitive. Il est important qu'il y ait de la lumière et de l'air frais.

La vente des plantes a lieu principalement d'avril à mai et d'août à octobre, bien qu'on ne cultive plus en pleine terre dans un sol naturel à cette époque. Pendant la période de croissance, il faut veiller aux parasites, qu'il s'agisse de virus, d'alternarioses, d'oïdium, de pucerons, de chenilles de noctuelle, d'aleurodes, de mouches (*Lycoria*) ou d'autres affections encore. Se reporter à la page 76 pour plus de détails sur les diverses affections. L'on peut, bien sûr, récolter soi-même les graines de Delphinium Pacific puisqu'il se reproduit par semis, mais il faut s'attendre à ce que les nouvelles plantes baissent de

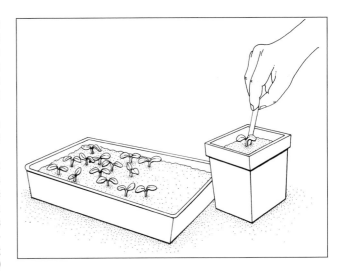

qualité. On récolte les panicules lorsque les premiers fruits sortent de leur enveloppe. On les suspend pour qu'ils sèchent dans un endroit sec, la pointe vers le bas. On met un récipient en dessous pour recueillir les graines qui tombent. Si on ne sème pas immédiatement, il faut les conserver dans un endroit sec et frais. Les graines de *Delphinium* sont vénéneuses. Il faut donc les stocker loin de la portée des jeunes enfants.

On peut repiquer les plants lorsqu'ils sont assez robustes.

Multiplication végétative

Les Hybrides de *Delphinium*- Elatum doivent être reproduits de façon végétative si on veut éviter des mélanges de forme, de couleur et de grandeur, ce qui est presque toujours lié à une perte en qualité. Pour les autres espèces ou variétés de pied-d'alouette, on peut multiplier par semis si l'on veut. Il y a cependant une exception pour les espèces qui présentent des rhizomes compacts et tubéreux. Les deux méthodes de multiplication végétative sont la division et le bouturage.

Division

Le jardinier amateur doit préférer cette méthode étant donné qu'il n'a pas besoin

Pour mieux procéder à la division, on asperge la terre des mottes d'un puissant jet d'eau.

d'un grand nombre de pieds. Les Hybrides Elatum et des variétés Belladonna peuvent être divisés au printemps après le gonflement des bourgeons. Le moment propice est février et mars. La division se fait avec la fourche-bêche : on pique et on ameublit le sol tout autour de l'endroit. Une lourde motte, souvent volumineuse, se forme autour des plantes les plus anciennes et de grande taille ; il faut deux personnes pour l'extraire.

Le jardinier amateur peut procéder de manière plus simple et planter juste quelques segments, mais dans ce cas, il faut prévoir des pertes, ce qui est moins important pour l'amateur que pour le professionnel.

Il faut vérifier la motte des racines que l'on a prélevée, en enlevant la terre avec un puissant jet d'eau. Si la motte est encore maniable ; il faut éloigner les pousses désséchées et en enlever la terre par des mouvements de balancement dans un évier. Si le rhizome a poussé dans de la terre légère, il suffit alors de le secouer fortement.

On divise à l'aide d'un couteau pointu ;

il faut que chaque pièce ait un œil, un morceau de rhizome avec quelques racines. A partir de solides rhizomes, on peut obtenir cinq à dix pieds, chacun avec deux à trois yeux. Il faut faire attention, car les pousses cassent facilement. Parfois, il est difficile de diviser les vieilles racines à la main. Il faut alors diviser avec un couteau (serpette) le long des pousses souples pas encore complètement ligneuses de l'année précédente ou mortes, là où se trouvent les nouveaux bourgeons : on coupe, à partir du haut, un morceau dans le rhizome. Ensuite, on peut séparer la pièce en tournant latéralement le couteau et on raccourcit les racines trop longues.

Il faut veiller à ce que les plantes ne pourrissent pas, en particulier dans les pépinières. On peut plonger les pieds dans un fongicide ou pulvériser les endroits entaillés de charbon de bois. Il est conseillé à l'amateur de faire de même.

Les pieds obtenus peuvent être plantés en pleine terre dans des parterres ou on peut les mettre en pot, mais il est alors difficile d'obtenir une certaine homogénéité. Il est mieux de s'adapter à la grandeur des segments et de se procurer des pots de différente grandeur (pots de 8, 10 et 12 cm). Le professionnel continuera ses plantations dans une caisse qu'il mettra au frais. Il faut veiller à ce que tous les yeux soient recouverts de terre. Pour éviter que les pieds ne pourrissent, il ne faut pas arroser tout de suite, mais seulement une semaine plus tard. Si les pieds sont plantés dans des parterres, il faut respecter un écart de 30 × 30 cm à 40 × 40 cm.

L'on peut aussi mettre en pot et planter dans des parterres en juin-juillet, lorsque les pieds ont des mottes de terre autour des racines. Il faut garder un écart de 20 cm entre chaque plante et de 50 cm entre les rangs.

L'amateur pourra installer les pieds obtenus à leur place définitive. Mais il ne faut jamais les placer à un endroit où l'on avait déjà auparavant planté des pieds-d'alouette ou, alors, il faut changer la terre. Pour un meilleur effet il est conseillé de former des groupes de trois plantes. Ne jamais enfoncer les pieds trop profondément.

Les pieds-d'alouette déjà affaiblis par une division, ne seront pas rabattus en vue d'une remontée. Ils doivent auparavant se renforcer et ont besoin de temps pour former des bourgeons résistants à l'hiver. Après le repiquage, il faut éviter d'ajouter de l'engrais la même année.

La division est, certes, la méthode de multiplication végétative la plus simplet et la plus traditionnelle, mais il faut suivre tout ce qui a été dit précédemment pour éviter les pertes et obtenir un rendement optimal.

Bouturage

Pour le bouturage, il faut aussi veiller à un certain nombre de facteurs. Etant donné que les Hybrides de *Delphinium* ont des tiges creuses, la multiplication par des segments de tiges n'est pas possible ; seules les boutures de la base peuvent être utilisées.

Le jardinier se servira de plantes de 2 ou 3 ans dont les boutures seront prélevées en janvier-février. Dans les régions où il fait froid l'hiver, on recouvre d'une couche de feuillage sec dès la fin de l'automne ou on prend des mesures pour pouvoir prélever les mottes même en période de gel. Les plantes que l'on utilise proviendront de parterres qui sont devenus trop denses.

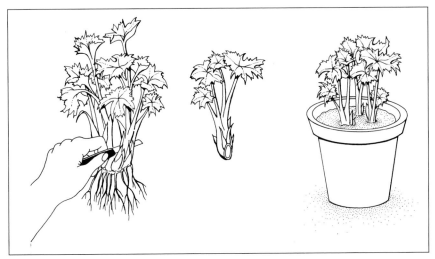

Seules des boutures de base peuvent être prélevées sur les Delphiniums. Il faut couper dans la zone étroite qui n'est pas creuse (voir aussi le schéma de la page suivante).

Voici comment couper les boutures basales. Le trait indique l'endroit de la coupe : juste au-dessus commence la tige creuse.

On enfonce les pieds dans la terre humide et on les conserve à une température comprise entre 5 et 10 °C. Lorsque les pousses ont atteint une longueur de 5 cm, c'est le meilleur moment pour prélever des boutures. On peut accepter des boutures jusqu'à 10 cm de long ; plus longues, elles sont cause de désavantages et on doit les éviter, la racine ne se formant pas toujours.

Alors que les jeunes pousses des plantes à racine creuse, comme dahlias ou lupins, ne sont pas creuses au début, les pousses de pieds-d'alouette présentent très tôt cette cavité. C'est pour cette raison qu'il faut veiller à ce que les boutures de ces derniers aient vraiment une partie lignifiée : dans ce cas on parle d'une bouture à "plaque". C'est seulement sur cette plaque que peuvent se former les racines. Il faut saupoudrer la base de poudre de charbon de bois et la tremper dans une hormone pour l'enracinement. On peut placer ensuite les boutures dans un casier à pots avec des cavités d'un diamètre de 4,5 cm.

A la température de 14 à 18 °C et un air contenant l'humidité habituelle, la racine se forme normalement en deux à trois semaines. Les pépinières qui ont des vaporisateurs-atomiseurs raccourcissent ce délai de dix jours environ.

La reproduction d'un authentique pied-d'alouette n'est pas garantie, même lors du bouturage. Les résultats diffèrent suivant les espèces, mais aussi suivant les divers groupes. Les Hybrides de Belladonna donnent de meilleurs résultats (80 à 99 pour

cent) que les Hybrides d'Elatum, où le quota de pertes peut atteindre 40 pour cent.

On peut faire des boutures aussi en avril-mai, ou juste après avoir rabattu la première floraison, mais il faut toujours penser à avoir un petit morceau lignifié. Suivant leur volume, les boutures sont mises dans des pots de 8 à 9 cm. Peu importe comment elles ont été extraites, mais on ne doit jamais donner de l'engrais trop tôt, seulement à l'apparition de racines. On peut alors utiliser une fois par semaine un produit liquide à base de minéraux.

Le jardinier amateur n'a jamais besoin d'un très grand nombre de pieds ; il peut facilement obtenir des boutures par la méthode décrite plus haut.

Il y a d'autres méthodes pour obtenir des racines, comme l'hydroculture. Il faut bien laver les boutures, de préférence sous l'eau courante, jusqu'à ce qu'elles soient débarrassées de toute trace de terre. On met 4 à 5 cm d'eau dans un vieux bocal en verre bien propre (pas d'eau de pluie et pas d'eau contenant des éléments nutritifs ajoutés). Les boutures peuvent être plongées dans une poudre d'enracinement avant d'être placées dans l'eau. Afin que les boutures aient une certaine tenue, on peut mettre aussi un peu de gravier bien lavé dans le pot : Il faut éviter qu'il y ait trop de boutures ensemble, pas plus de trois ou quatre.

Le récipient doit être placé à la lumière, par exemple sur le rebord d'une fenêtre ensoleillée ou d'une petite serre. Le niveau de l'eau doit être contrôlé quotidiennement, pour remplacer la quantité d'eau évaporée. S'il y a des boutures qui flanchent et et baissent la tête, on peut essayer de les sauver en coupant encore une fois une fine rondelle à l'extrêmité inférieure, ce qui provoquera un nouvel afflux d'eau, les capillaires bloqués étant ainsi éliminés. On met les boutures tendres ou celles qui ont déjà des feuilles dans un endroit plus sombre ou on recouvre le récipient d'un sac de plastique transparent. A travers le bocal transparent, on peut observer la formation des racines et juger s'il est temps de planter en pot en y ajoutant un substrat. Ce moment est arrivé lorsque la touffe de racines a atteint 2 à 3 cm.

Suivant la lumière disponible, il faut environ cinq semaines en février-mars pour passer du bocal à la plantation dans le substrat et trois semaines en avril-mai. Le succès de cette méthode dépend beaucoup des conditions d'hygiène. Si on voit se former des moisissures à la surface, il faut immédiatement remplacer la totalité de l'eau.

Si l'on n'aime pas cette méthode, on peut la modifier en travaillant avec un substrat stérile, comme la perlite ou la vermiculite. Les deux matériaux sont naturels, on les fait gonfler par un traitement thermique et ils sont capables d'emmagasiner une quantité d'eau plus grande que leur poids. On prendra alors un pot de plastique stérile ou une caisse à boutures en plastique que l'on remplira de perlite ou de vermiculite. Les récipients sont placés dans une soucoupe avec de l'eau et le pot est rapidement saturé d'eau à cause de l'effet capillaire. Les boutures préparées comme précédemment décrit peuvent alors être installées dans le substrat. On doit toujours veiller à ce que la soucoupe reste remplie d'eau.

Il est évident que ces deux substrats présentent des avantages pour l'obtention de racines ; d'un côté les petits grains gonflés d'eau apporteront l'humidité nécessaire et, d'autre part, dans les petits espaces, l'air peut circuler jusqu'aux boutures. Par contre, on ne pourra pas suivre l'évolution des racines comme c'est le cas dans l'eau. Il faut prêter aussi plus d'attention pour savoir à quel moment il faut transvaser. On peut pour cela observer l'extrémité de la bouture : lorsqu'elle commence à pousser, il faut attendre encore une semaine environ pour mettre dans des pots de 9 à 10 cm. Il est conseillé d'employer du substrat de tourbe auquel on aura mélangé du sable dans la proportion d'un tiers du volume.

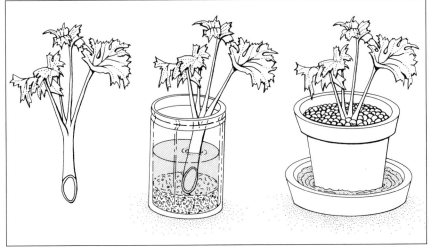

A gauche, des boutures en train de former leurs racines dans l'eau et, à droite, dans des substrats saturés d'humidité (perlite, vermiculite).

Affections et maladies

En lisant les paragraphes qui vont suivre, on pourrait croire que le *Delphinium* est une plante en péril, mais c'est vraiment le contraire. Cependant un livre qui est dédié à un genre aussi merveilleux, ne peut pas passer sous silence les affections éventuelles, et doit au contraire en parler dans le détail. De plus, les affections décrites ici ne se rencontrent que dans la monoculture, comme c'est le cas en pépinière, et pas dans le jardin familial qui compte seulement quelques pieds-d'alouette.

Dans mon jardin, je n'ai pas constaté des dégâts pendant ces dernières années, à l'exception de l'oïdium une ou deux fois : et ceci jamais au cours de la première floraison, mais lors de la remontée après un été frais et humide.

Les maladies et les affections dépendent de l'endroit où se trouve la plante et de la situation du jardin. Le sol et son état nutritionnel jouent un rôle à côté de tant d'autres facteurs. Si vous constatez l'apparition d'une maladie dans votre jardin, il n'est pas difficile de trouver une solution à condition d'en connaître la cause.

Parasites

Le pied-d'alouette est vénéneux comme toutes les Renonculacées, il y a cependant des animaux qui aiment cette plante vivace, surtout ses jeunes pousses. Il s'agit en particulier des **escargots**, ainsi que des limaces. Les méthodes pour les combattre sont connues. Karl Foerster conseille de saupoudrer un peu de chaux vive (hydroxyde de calcium) tout autour des endroits à protéger, et non pas du carbonate de calcium qui n'a, en aucun cas, un effet corrosif. Le mieux serait d'avoir un hérisson ou des crapauds pour pouvoir débarrasser le jardin de ces bestioles qui apparaissent en nombre certaines années.

On connaît aussi les pièges à bière : on pose dans la terre des pots à conserves ou des récipients en plastique remplis de 3 à 5 cm de bière. Le tout doit être contrôlé et renouvelé chaque jour, car le mélange fermenté de bière et d'escargots morts est nauséabond. On peut aussi poser des fruits coupés en deux, depuis les agrumes jusqu'à la pomme de terre, sous lesquels les escargots se rassembleront pendant la nuit. Il ne reste plus qu'à les attraper et à les éliminer. En outre, il y a dans le commerce des "barrières" à escargots, mais ces objets en plastique ne sont vraiment pas beaux. Il est mieux de faire des barrières de sable dur ou de copeaux. On peut aussi répandre du produit à limaces, mais c'est un produit chimique. A chacun de trouver son remède. Les escargots peuvent produire des dégâts surtout au printemps, après le démarrage de la végétation. Alors que le hérisson qui vient souvent nous rendre visite n'a jamais fait de dégâts dans mon jardin !

Parmi les papillons, il y a aussi quelques amateurs de pied-d'alouette, et en particulier la **mite du Delphinium** (*Polychrysia moneta*). Celle-ci pond ses œufs à la fin du printemps ou au début de l'été d'où des chenilles sortent sept à dix jours plus tard. Au premier stade, elles sont brunes et prennent, en croissant, une coloration vert claire. Cette mite peut passer l'hiver dans les restes de tiges creuses en tant que larve. Au printemps, lorsqu'il fait plus chaud, les animaux deviennent de nouveaux actifs et trouvent leur première nourriture dans les jeunes pousses. En outre, on trouve aussi des parasites comme *Tortrix cnephasia* et *Cnephasia stephensiana* dont les larves grignotent la plante.

Je dois préciser que je n'ai pas encore eu ces problèmes. Les cas sont rares et il faut alors utiliser des insecticides. Il est important de bien observer la plante avant l'apparition de l'inflorescence, fin mai-début juin, pour éliminer les éventuelles chenilles. Ceci dans le cas d'un petit jardin. Dans les pépinières, il faudra vaporiser un produit à base de pyrethrine disponible dans le commerce.

Mycoses et maladies bactériennes

La maladie cryptogamique la plus connue est l'**oïdium** (*Erysiphe polygoni*), qui apparaît en particulier après la floraison et frappe les espèces fragiles et les endroits peu favorables encore plus tôt. Dans mon jardin, j'en ai sur les jeunes pousses après la coupe. Il se forme alors un champignon blanc sur toutes les parties de la plante.

Il vaut mieux prévenir que guérir. Il faut donc choisir un endroit où l'air circule bien afin que les plantes sèchent après la pluie et la rosée. Il est important de choisir des espèces qui ne réagissent pas à l'oïdium. Les variétés sélectionnées offrent une garantie. On a fait beaucoup de progrès à ce sujet durant ce siècle. Le *Delphinium* était autrefois très sensible à l'oïdium. Karl Foerster se mettait en colère lorsqu'il voyait les plantes contaminées par le mildiou et pestait contre cette ''farine''. Si on a eu des problèmes l'année précédente, il faut y remédier en vaporisant du soufre mouillable, ce qui n'est pas dangereux sur le plan écologique. Le professionnel vaporisera un fongicide dès le début de la maladie et traitera à intervalles de dix jours. Si la contamination est déjà trop importante, il faut couper toute la plante et protéger aussitôt les nouvelles pousses. Des fongicides comme le bénomyl (concentration 0,1 pour

cent), le karathane (0,05 et 0,1 pour cent) et le morestan (0,03 à 0,05) ont fait leurs preuves.

En ce qui concerne la **rouille noire** ou la **maladie des taches noires** (dont la bactérie est *Pseudomonas delphinii*), on voit apparaître des taches brun-noir irrégulières sur le bord ou dans les angles des feuilles et des tiges. Les feuilles peuvent être aussi attaquées après de longues périodes de pluie ; elles se rabougrissent, et périssent même, à la suite d'une contamination plus forte. Souvent, une trop grande densité de plantes ou un endroit peu favorable en sont les causes. Il est conseillé de vaporiser plusieurs fois du cuivre vert sur l'envers des feuilles. Le bénomyl est recommandé. Cette affection est rare.

Il reste à dire quelques mots sur l'**anthracnose** (le champignon responsable est *Phyllosticta ajacis*) ; les méthodes de traitement sont les mêmes que pour les maladies précédentes. On voit apparaître sur les feuilles des taches noires rondes ou allongées. Parfois par zones où on peut voir à la loupe les petites particules du champignon, en forme de points.

Accidents non parasitaires

Fasciation

Il ne s'agit pas ici d'une maladie à proprement parler, mais d'une anomalie physiologique. Un développement anormal des cellules de la tige et de la fleur donne une croissance rabougrie, en lame, ou des tiges éclatées ou doubles. En tout cas, cela altère l'aspect de la plante. On ne connaît pas la cause exacte de cette anormalité. Certains pensent que c'est dû à certains facteurs relatifs à la nutrition ; ou bien aussi que des variations de température répétées y sont pour quelque chose. On suppose que la cause est différente pour chaque espèce. On peut laisser se développer la plante ou la tige avec ces anormalités, et il n'y aura pas d'autres conséquences. L'année suivante, la plante fleurit tout à fait normalement. Si l'on s'en aperçoit à temps, il suffit alors de couper immédiatement la tige déformée.

Contamination par des virus (Viroses)

Malheureusement, le pied-d'alouette n'est pas épargné par les viroses (on connaît la maladie des taches annulaires, la mosaïque, le nanisme). On voit apparaître, même si cela est rare, des taches claires sur les feuilles et des déformations, même sur des jeunes feuilles. Des ralentissements soudains de la croissance de toute la plante indiquent la présence d'une contamination par un virus, le plus souvent le virus de la mosaïque des cucurbitacées. Il faut éloigner la plante contaminée immédiatement et de préférence la brûler. Il faut aussi veiller à l'hygiène, sans oublier celle des outils de jardinage.

Epuisement du sol

Ce n'est pas une maladie, mais le point de départ de nombreuses nuisances. Si un arbuste se trouve trop longtemps au même endroit, on voit alors apparaître des signes de fatigue sur la plante qui ne disparaissent pas complètement même si on augmente la quantité d'engrais. L'accroissement de produits de dégénérescence de toutes sortes, un épaississement du sol et l'accumulation de nématodes sont autant de causes d'épuisement du sol. Il s'en suit que les plantes affaiblies se défendent moins bien contre les mycoses et les insectes parasites. La contamination ne cesse alors d'augmenter. Il est donc conseillé de transplanter les semis, dès le premier signe de défaillance. Il ne faut jamais replanter une dauphinelle au même endroit. Si cela ne pouvait pas être autrement, il faudrait alors changer la terre même si cela représente du travail.

Comment créer des Delphiniums ?

J e veux tout d'abord clarifier un concept. On entend parfois les amateurs dire : "je produis moi-même mes salades", alors qu'ils devraient en réalité dire : "je cultive moi-même mes salades". Même dans les revues spécialisées, il y a confusions entre ces deux termes. "Produire" signifie "créer génétiquement" quelque chose de nouveau. Les amateurs et les professionnels tentent d'améliorer le pied-d'alouette depuis 180 ans. Au début, il y eut des semis spontanés qui, par leurs propriétés, éveillèrent l'attention du jardinier. Ces plantes améliorées furent multipliées par la méthode végétative. On commença alors à multiplier systématiquement des plantes de qualité supérieure pour obtenir des géniteurs qui réuniraient toutes les caractéristiques positives de la plante-mère ou de la plante-père chez les descendants.

On se trompe si on pense qu'il n'y a plus rien à améliorer. Il faut encore augmenter la résistance aux maladies et la durée en vase. Il faut élargir la palette des couleurs. Il faut augmenter le choix de plantes de petite taille et de taille moyenne et avancer et prolonger la période de floraison.

Les mérites de l'obtenteur restent entiers même si l'on soutient que la plus grande partie des variétés standard actuelles ne sont pas le résultat d'une recherche systématique. Il s'agit souvent de mutations spontanées qui ont provoqué l'intérêt soit par leur beauté, leur robustesse, leur résistance aux maladies ou par d'autres qualités encore. La plus grande partie des Hybrides de *Delphinium*-Elatum obtenus par multiplication végétative provient de semis massifs. Des graines de plantes-mère de première qualité ont été semées (père inconnu !) et les jeunes plants obtenus furent plantés en pleine terre pour porter un jugement "a posteriori" sur leur floraison. Le choix intervient la plupart du temps après la floraison de la deuxième année. On porte une appréciation définitive après deux années. Cette méthode d'obtention est réservée au pépiniériste de plantes vivaces : il faut en effet beaucoup de place.

Le jardinier amateur peut, lui aussi, obtenir des succès dans ce domaine. Ses propres expériences apportent beaucoup de joies et il y a toujours un peu d'inquiétude et de curiosité dans cette recherche, mais il ne faut pas s'attendre à obtenir des plantes de première qualité. On devient souvent obtenteur sans même s'en apercevoir. Parmi les Hybrides Pacific reproduits par semis on obtient, de temps

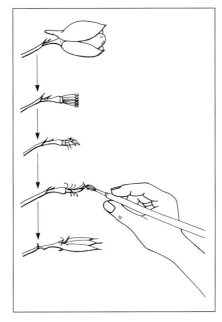

Représentation schématique de la pollinisation manuelle.
De haut en bas : fleur individuelle ; partie mâle de la fleur avec étamines ; partie femelle de la fleur avec style et stigmates ; fécondation à l'aide d'un fin pinceau ; pousse.

à autre, de belles espèces ou des exemplaires qui retiennent l'attention par leur couleur ou par tout autre qualité. Pour l'usage domestique, ces espèces peuvent être reproduites végétativement.

Pour les passionnés il vaudra la peine de tenter des multiplications systématiques, même si cela demande un certain effort. Il faudra faire attention à ce que les abeilles ou d'autres insectes ne s'introduisent pas dans cette intervention manuelle, pour qu'il n'y ait pas de pollinisation extérieure. Souvent dès la première fleur, il faut protéger la panicule d'éventuels visiteurs. Il suffit d'envelopper l'inflorescence de gaze ou d'un matériau laissant passer l'air. Il ne faut pas trop surcharger la fleur naissante, mais il faut la tuteurer pour qu'elle ait une position stable. Il ne faut pas laisser d'endroits découverts pour éviter que les insectes ne pénètrent. Dès que les premières fleurs s'ouvrent, il faut, à l'aide d'un pinceau bien doux, apporter le pollen de la plante-père.

On peut améliorer cette méthode grossière de pollinisation manuelle : il faut alors enlever le calice et les pétales peu de temps avant que la fleur ne s'ouvre. De la même manière, on ôte les anthères pas encore mûres, de façon à ce que restent les pistils pas encore mûrs et les stigmates. Ils mûrissent dans les deux ou trois jours qui suivent et peuvent alors être fécondés avec le pollen de la plante-père, à l'aide d'un pinceau. Il faut avoir, pour cela, du doigté.

Il est important d'indiquer exactement les manipulations sur des étiquettes résistantes aux intempéries, en particulier lorsqu'on fait plusieurs croisements différents. De petites étiquettes en aluminium, sur lesquelles on reporte l'indication au crayon, ont fait leurs preuves. On les fixe sur la tige avec du fil à fleurs et si l'étiquette est assez longue on peut entourer la tige.

S'il s'agit de croisements de Pacific de *Delphinium*-Elatum ou de Belladonna on aura la chance, dans la plupart des cas, que des graines se soient formées. Les croisements ainsi obtenus donnent naturellement un pourcentage de plantes avec des propriétés améliorées plus important que des semis provenant de croisements non contrôlés. Si l'on multiplie en grand nombre, il vaut la peine de tenir un registre où seront notées toutes les données importantes, comme géniteurs, date de pollinisation et autres informations utiles.

Si on croise des espèces entre elles, il faut veiller aux relations génétiques. En particulier, pour les espèces à fleurs rouges mais aussi pour les espèces de haute montagne de petite taille, il faut vérifier si les deux partenaires sont bien fertiles. Parfois la reproduction se fait simplement par le doublement du nombre de chromosomes, à l'aide de la colchicine ou par un traitement aux rayons X et un peu de chance. Seuls les professionnels peuvent utiliser ces procédés ; l'amateur se contentera des Hybrides de Delphinium décrits plus haut.

Karl Foerster avait indiqué douze éléments qui devaient être améliorés chez le Delphinium : la pureté et l'intensité des couleurs, la forme et le port, la solidité face au vent, la résistance à l'oïdium, la conservation des fleurs inférieures, la consistance de la tige, la faiblesse sous la pluie, les coups de soleil, l'abondance de la floraison, une remontée consistante, les variétés à floraison hâtive ou tardive, les variétés de taille moyenne et petite. Certaines propriétés doivent être améliorées aujourd'hui encore.

Le Delphinium dans le jardin et ses partenaires

Aux Hybrides de *Delphinium* on réserve en général une bien mince place au jardin car on les définit comme "plantes pour massifs"! Mais derrière cette définition se cache un grand nombre d'autres possibilités d'utilisation. Ici et là on trouve d'autres expressions pour désigner ces plantes, par exemple plantes vivaces à grand effet ou plantes vivaces pour plates-bandes. Les plates-bandes sont toujours très appréciées en Angleterre, mais ailleurs on en voit de moins en moins. Il s'agit de bordures de différentes couleurs, de 2 à 3 m de large, de la longueur souhaitée, agencées en différents niveaux, les plantes vivaces basses étant à l'avant et les plus hautes derrière. Ces plates-bandes sont plus justifiées sur les îles britanniques que chez nous où les jardins, ou certaines parties de jardin, sont souvent délimités par des murs ou des haies.

Pieds-d'alouette pour plates-bandes

Si on procède à ces plantations à angles droits, il faut au moins renoncer à les disposer en forme de tribune et les éparpiller de manière irrégulière, la courbe de niveau remontant et descendant à plusieurs endroits. Le Delphinium laisse, la floraison terminée et après avoir été rabattu, un emplacement vide et, pour cette raison, il ne faut pas le planter tout à fait devant, mais pas forcément à l'arrière non plus ; il y a des places tout à fait acceptables au milieu entre d'autres plantes.

Dans les jardins privés, on donnera la préférence à des plantations de forme irrégulière. On essaiera de mettre du mouvement dans le tableau. Le pied-d'alouette sera placé une fois à l'avant, une fois à l'arrière, mais pour les raisons évoquées plus haut jamais en première ligne. Ce peut être d'un bel effet de placer des Delphiniums bleu-clair sur un fond de conifères foncés, mais, dans ce cas, le massif de plantes vivaces ne doit pas être trop large. On peut les placer aussi entre conifères et gazon en une bande étroite. Le

Des roses et des plantes vivaces blanches, comme les lis de la Madone et les marguerites, par exemple, sont d'excellents partenaires pour les pieds-d'alouette.

81

vide laissé après avoir rabattu les fleurs fanées, se verra alors moins.

Si l'on veut planter des pieds-d'alouette dans des **jardins de rocaille**, il faudra choisir les nouvelles variétés naines Pacific, 'Blue Springs' et 'Dwarf White' qui s'adaptent bien à des grandes rocailles et se multiplient par semis. Il faut que l'on y aperçoive par ci-par là comme une fusée de fleurs.

Le Delphinium n'est pas une plante pour **jardin aquatique**, mais on peut l'utiliser dans un but architectural, à l'arrière-plan.

Au premier abord il paraît simple de trouver des partenaires appropriés, car il y a beaucoup de plantes en fleur pendant la période de sa floraison et de sa remontée. D'autre part, il faut avoir un certain goût pour créer, à partir de fleurs, des tableaux harmonieux. Il suffit parfois d'ajouter une troisième couleur pour créer un accord entre deux couleurs qui autrement n'iraient pas tout à fait ensemble.

Un partenaire idéal : le rosier

Aux expositions de jardinage on voit souvent des arrangements avec des rosiers pour parterre, (Hybrides de Polyantha, rosier Floribunda). Il n'y a rien à objecter à cela, mais on obtient des tableaux particulièrement beaux aussi avec des rosiers grimpants et des rosiers arbustes. J'ai dans mon jardin depuis 25 ans, un rosier grimpant robuste aux fleurs d'un rouge brillant qui pousse le long d'une pergola : il s'agit de 'Danse du Feu', une variété très résistante au gel. Devant il y a les anciennes variétés de Delphinium 'Gletscherwasser' et 'Tropennacht', mais aussi des Pacific-Hybrides, aux divers tons de bleu se côtoyant et s'harmonisant tous avec les roses rouges brillantes à l'arrière-plan. Cette orgie de couleurs est encore renforcée par des fleurs blanches. Les lis de la Madone (*Lilium candidum*) cher à l'idéal de Foerster serait le bienvenu, mais malheureusement l'endroit de ma pergola n'est pas adapté à cette plante, et c'est pour cette raison qu'il faut se contenter de marguerites blanches. La floraison n'est pas toujours synchronisée, les marguerites blanches fleurissent parfois un peu plus tard.

On n'est pas obligé naturellement de planter des roses rouges ; il y a des rosiers roses, jaunes et blancs qui s'accordent tout aussi bien avec les Delphiniums. Les espèces bleu clair s'harmonisent avec des rosiers grimpants roses et les espèces bleu moyen avec un arrière-plan de roses jaunes. On utilise les rosiers arbustes de différentes manières, en particulier les nouveaux rosiers arbustes remontants. En ce qui concerne les associations de couleur reste valable ce qui a été dit pour les rosiers grimpants.

Partenaires à fleurs rouges

Des combinaisons avec le pavot oriental (*Papaver orientale*) captent aussi le regard. Le contraste entre le rouge du pavot et le bleu du Delphinium a besoin d'être atténué, ce qui ne signifie pas qu'il faut les accompagner de plantes de couleur blanche, mais plutôt de tons clairs, par exemple de lin bleu clair. Les pivoines tardives roses (Hybrides de *Paeonia*-Lactiflora) s'harmonisent avec des pieds-d'alouette bleu clair ; et ceci est valable aussi dans un vase.

Les *Hemerocallis* sont également de remarquables partenaires. La plupart des variétés hybrides modernes ne peuvent pas être exploitées, leur floraison n'étant pas concomitante avec celle des pieds-d'alouette alors que les espèces *Hemerocallis* conviennent parfaitement. Les couleurs pures de leurs fleurs jaunes et or s'harmonisent mieux que les fleurs souvent trop colorées et trop marquées des hybrides modernes. *Hemerocallis citrina*, *H. aurantiaca*, *H. lilioasphodelus*, *H. middendorffii* et *H. thunbergii* sont tout à fait indiqués. Les variétés de Delphinium de petite taille comme 'Dwarf Blue Springs' peuvent être associées à des espèces d'Hémérocalles plus petites, comme *H. minor* et *H. dumortieri*.

L'association avec les Lupins (*Lupinus polyphyllus*) est un peu plus difficile à réaliser. En ce qui concerne leur port, les deux plantes s'accordent tout à fait, les grandes hampes des Delphiniums se prolongeant grâce aux Lupins un peu plus petits. Il sera préférable de choisir des Lupins à fleurs jaunes, blanches ou rouges ; l'association de Lupins bleus ou violets n'est par contre pas souhaitable.

Le Delphinium et le Phlox fleurissent à des périodes différentes, il y a cependant des Hybrides de *Phlox*-Maculata hâtifs qui fleurissent en même temps ainsi que des Hybrides de *Phlox*-Paniculata dont la floraison correspond à celle des Delphiniums tardifs. Il faut faire attention à ce que les partenaires s'harmonisent bien, car les tons violacés de certains Phlox sont dangereux. La Croix de Jérusalem (*Lychnis chalcedonica*) à fleurs rouges est un excellent partenaire. Ces fleurs avec des Delphiniums bleu brillant et des Marguerites blanches (*Chrysanthemum maximum*, ou, d'après la nouvelle nomenclature, *Leucanthemum maximum*) sont un vrai coup d'éclat, idéal dans un jardin de campagne. Pour des jardins plus petits, il faudra créer un groupe proportionné : on prendra alors les plus petits des Pacific, 'Bleu Pacific', 'Blue Springs', la plus petite Marguerite, 'Prinzeßchen' et des Hybrides de *Lychnis* Arkwrightii, rouges.

Page 82 en haut : le Delphinium avec sa floraison représente le point fort de la saison.

Page 82 au milieu : 'Gletscherwasser', est une variété cultivée depuis 1928 par Foerster. On remarquera sur cette photo la croissance un peu timide de la plante, ce qui rappellera au propriétaire qu'il est temps de procéder à sa division et transplantation. Il ressort un certain enchantement de cette combinaison avec *Anthemis tinctoria* et lis 'Tireno' (Hybride asiatique).

Page 82 en bas : association de 'Dwarf Blue Springs' avec *Lychnis* × Arkwrightii et fleurs d'été. De nombreuses plantes peuvent accompagner cette variété qui est de très petite taille.

Page 83 : Karl Foerster disait : ''Le coup d'éclat par la couleur !''. Il ne parlait pas seulement de l'harmonie entre deux couleurs de fleurs, mais entre trois comme ici : Delphinium-Pacific à fleurs blanches, et des variétés d'*Achillea*, 'Coronation Gold' et 'Fanal'.

Ce qui est valable pour le Phlox, l'est aussi pour les variétés de *Monarda* : la floraison n'a pas lieu à la même période. Les Monardes fleurissent généralement un peu plus tard, mais on peut cependant trouver quelques partenaires intéressants parmi eux.

Monarda 'Cambridge Scarlet' commence à fleurir une semaine et demie à deux semaines avant les autres espèces, et sa floraison peut, dans certains cas, correspondre à celle d'un pied-d'alouette tardif. Les fleurs des Monardes sont d'un rouge brillant ; 'Cambridge Scarlet' porte la couleur de l'université de Cambridge.

Pour clore ce tour d'horizon, il convient encore de citer la Spirée (*Astilbe*).

Des contrastes en jaune et blanc

Comme on a pu le contaster, il y a à l'époque de la floraison du Delphinium assez de plantes rouges, mais il existe aussi un grand choix de plantes à fleurs jaunes, et le jaune est une couleur qui s'accorde parfaitement au bleu.

On peut mentionner à ce propos *Achillea filipendula* 'Parker' et 'Coronation Gold', un peu plus petite, qui sont les variétés les plus importantes. Les Hybrides d'*Heliopsis* représentent des accompagnateurs de choix à ne pas oublier : 'Spitzentänzerin' est mon préféré. On peut citer aussi *Coreopsis verticillata* ainsi que l'Hybride d'*Helenium* 'The Bishop', à floraison hâtive.

A part les vivaces blanches dont on a déjà parlé, *Gypsophila paniculata* s'associe également bien au pied-d'alouette et Karl Foerster cite souvent la variété 'Bristol Fairy'. Une autre espèce de grand intérêt et d'un effet sûr est le *Crambe cordifolia*, plante qui avec ses 150 cm peut être utilisée à l'arrière-plan et sur les côtés des parterres.

Il n'y a pas que les plantes vivaces qui peuvent accompagner le Delphinium, mais aussi certains arbustes comme *Hydrangea paniculata* ou le Seringat (il existe, en effet, diverses variétés de *Philadelphus* qui

fleurissent à des époques différentes). Certains Seringats accompagnent les Delphiniums tardifs ; d'autres variétés se prêteront comme fond pour la mise en valeur des Delphiniums hâtifs.

Des plantes pour la remontée

On trouve de nombreux partenaires pour l'époque de la remontée. Il faut citer ici en particulier les grandes plantes vivaces à fleurs jaunes de l'automne, *Helianthus* et *Rudbeckia*. On peut aussi planter des Phlox à floraison tardive ainsi que des Dahlias. Attention aux Asters d'automne ! Les Asters à fleurs violettes ou bleues comme *Aster amellus*, *Aster novi-belgii* et *Aster novae-angliae* ne peuvent être associés que dans certaines conditions, mais la plupart du

Page 84, en haut à gauche : *Delphinium grandiflorum* dans un parterre de fleurs d'été, associé à un Hybride de *Zinnia*.

Page 84, en haut à droite : on obtient de beaux effets en associant le *Delphinium* à des seringats (*Philadelphus*).

Page 84, en bas : l'abondance de la remontée dépend du temps et de l'espèce. Ici une floraison de fin septembre dans le Jardin expérimental de Freising/Weihenstephan avec *Calamagrostis acutiflora* 'Karl Foerster'.

Page 85 : par un choix judicieux on peut trouver de petites variétés de plantes vivaces de grande taille. Groupe de plantes de taille élevée : Hybride de *Delphinium* 'Jubelruf', Hybride de *Chrysanthemum*-Maximum 'Harry Pötschke' et *Lychnis chalcedonica*. Groupe de plantes plus petites : Hybride de *Delphinium* 'Dwarf Blue Springs', Hybride de *Chrysanthemum*-Maximum 'Silberprinzeßchen', Hybride de *Lychnis*-Arkwrightii 'Vesuvius'.

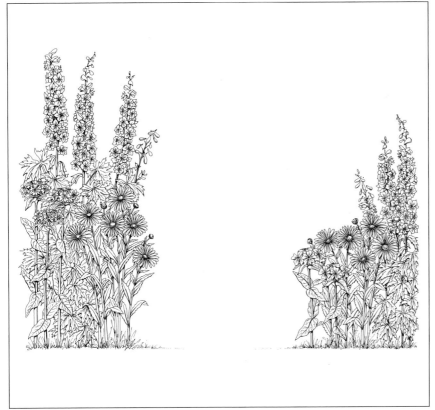

Avec les Delphiniums, il faut tenir compte de deux sortes de plantes d'accompagnement, ce qui n'est pas toujours simple : les partenaires pendant la floraison et ceux pour la remontée. La photo montre un groupe de pieds-d'alouette et de tournesols fin septembre.

leurs couleurs jurent. Par contre, il n'y a aucune objection pour les variétés à fleurs blanches ou roses. Enfin, à l'automne, les grandes graminées bien développées peuvent constituer d'excellents partenaires lors de la remontée des Delphiniums. Ainsi la combinaison avec des plantes vivaces d'automne à fleurs jaunes et *Calamagrostis* × *acutiflora* 'Karl Foerster' brun chevreuil, que l'on trouve dans le Jardin expérimental de Weihenstephan, nous enchante toujours.

Le Prof. Dr. Josef Sieber de Freising a établi une liste de groupes de couleurs des variétés sélectionnées dans le Jardin expérimental de Weihenstephan, liste que l'on reproduit ici, à page 89 et page 90, avec l'aimable autorisation de l'auteur. Elle pourra aider le lecteur dans le choix des plantes vivaces partenaires, un bleu ne ressemblant pas toujours à un autre bleu. Parfois, de légères nuances de couleurs peuvent être décisives pour savoir si des partenaires sont en harmonie ou non.

Les bouquets de Delphiniums

Des Delphiniums dans un vase sont toujours attirants et leurs tons bleus, que l'on ne trouve pas trop souvent parmi les fleurs coupées, séduisent particulièrement. Karl Foerster s'était déjà occupé de cette question en détail. Il a donné des conseils sur le meilleur endroit pour placer un bouquet. Il écrit : "Les pieds-d'alouette, couleur de bleuet, perdent presque tous quelque chose de leur ton foncé, lorsqu'on les place à l'intérieur, ils deviennent alors très clairs. Le bleu clair se décolore moins. C'est la dauphinelle bleu noir qui est la plus belle dans un vase, placé sur le rebord de la fenêtre de manière à ce qu'elle capte toute la lumière".

Le jardinier amateur qui coupe lui-même les fleurs doit se procurer des vases adéquats ; c'est très important. Les grands vases que l'on place sur le sol font beaucoup d'effet, mais on a souvent besoin aussi de petits vases. Il me semble que le pied-d'alouette s'accorde à de beaux vases aux formes simples en céramique parce que la plante a un lien avec la terre ; ceci dit, la porcelaine, le cuivre et le verre sont toujours en harmonie. Tous ceux qui ont des Delphiniums dans leur jardin devraient posséder de bons vases adaptés. Même lorsqu'on n'a pas l'intention de couper ces grandes hampes, on peut y être obligé un jour ou l'autre à cause du vent ou de la tempête.

J'aime personnellement les bouquets campagnards colorés où la dauphinelle ressort bien. Il est par contre bien difficile d'intégrer cette fleur dans un arrangement rigoureux comme dans l'Ikebana.

On ne peut couper la tige avant qu'un dixième des fleurs soient écloses ; l'amateur devra même attendre un peu plus longtemps. Il est conseillé d'ajouter des produits pour garder l'eau fraîche. Etant donné que la plante libère de l'éthylène, qui est un gaz oléifiant, on doit ajouter des produits contenant du thiosulfate d'argent pour éviter que les fleurs ne tombent trop tôt. Il faut couper les fleurs le matin, le plus tôt possible.

Certains groupes, et même certaines espèces, réagissent différemment lorsqu'on coupe les fleurs. Les *Delphinium*-Belladonna, avec leurs inflorescences grandes et lâches, sont toujours très appréciés. Dans un vase ils apportent des nuances que n'ont pas les grands *Delphinium*-Elatum à panicules étroites, qui pourtant ne sont pas moins beaux. Les meilleures variétés pour fleurs coupées, sont 'Völkerfrieden' et la nouvelle obtention 'Ballkleid'. Une autre belle fleur pour bouquets est *Delphinium × ruysii* 'Pink Sensation' qui, tout en faisant partie des Belladonna, présente toutefois les mêmes caractéristiques que le groupe précédent. Les Hybrides de *Delphinium*-Elatum peuvent être aussi coupés ; ils se prêtent même mieux que les Pacific-Hybrides qui tiennent moins longtemps dans l'eau. Les variétés 'Elmfreude', 'Elmhimmel', 'Lanzenträger' et 'Sommeranfang' sont excellentes pour

Pour obtenir de belles panicules de fleurs (par exemple, pour des expositions), il faut éclaircir à temps au printemps.

Le Delphinium est une fleur idéale pour de grands vases.

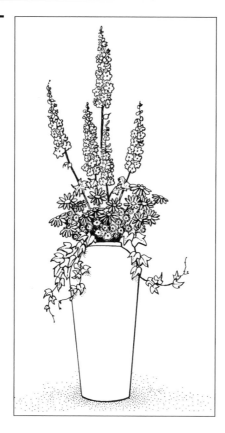

'Stand Up' paraît offrir une durée plus longue. Marianne Beuchert écrit à ce sujet dans son livre ''Les bouquets de mon jardin''[1] ''La plus grande surprise est de constater sa longue vie en tant que fleur coupée. Avec une solution de Chrysal, on empêche que les pétales ne tombent. Même par une température supérieure à 30 °C, il tient dix jours dans un vase''.

Les nouvelles variétés 'University Hybrids' se prêtent bien, elles aussi, à produire des fleurs coupées ; avec leurs tons rouges, roses et abricot, elles enrichissent la palette existante. Les variétés cultivées sous serre aux Pays-Bas sont surtout multipliées dans ce but. Il ne faut pas oublier *Delphinium semibarbatum* (= *D. zalil*) dont c'est le rôle principal.

Les variétés de grande taille de la dauphinelle annuelle (espèces *Consolida*) font de belles fleurs coupées, et on les utilise en particulier comme bouquet d'été de toutes les couleurs. De nouvelles variétés à très longues panicules servent aussi à faire des bouquets plus précieux. Lors de l'aménagement de la plantation, les variétés destinées à être coupées doivent être protégées par un filet métallique ou de plastique. Comme nous l'avons déjà dit, ces dauphinelles annuelles servent aussi à faire des fleurs séchées.

Le Delphinium fleurit en même temps que beaucoup d'autres plantes vivaces et il y a pour cette raison, un grand nombre d'associations possibles dans un bouquet. On peut réunir, par exemple, des pieds-d'alouette à des roses à petites fleurs, à des *Alchemilla* et des Valérianes rouges (*Centranthus*). On peut aussi associer des pieds-d'alouette bleus à des Œillets jaunes, à des Glaïeuls jaunes et à des Croix de Jérusalem (*Lychnis chalcedonica*) et aérer le tout avec des Alchémilles (*Alchemilla*). Les pieds-d'alouette bleu clair doivent être associés à des fleurs aux couleurs tendres, par exemple des Mauves roses (*Sidalcea*). Parfois, on apporte un ton plus intense en ajoutant des feuillages foncés, rouges, tels des branches de Berbéris, de Prunus ou d'Erable à feuilles rouges. On peut penser

fleurs coupées ; mais 'Finsteraarhorn', 'Abgesang', 'Jubelruf', 'Sommernachstraum' et 'Traumulus' ont fait aussi leurs preuves.

Même si les Pacific-Hybrides tiennent un peu moins longtemps dans le vase que les Hybrides d'Elatum, il faut cependant noter que ce sont les premiers qui fournissent la plus grande partie des fleurs coupées. Ils ont en effet des grandes fleurs à panicules serrées et s'adaptent mieux au rythme de production des pépinières. Les semis précoces donnent une première récolte en été (se reporter au paragraphe sur la ''Multiplication générative'' page 69) et portent une ou deux courtes tiges par plante. Il est conseillé de tailler rapidement cette première floraison, de mettre une bonne quantité d'engrais, pour obtenir en septembre-octobre des fleurs coupées à longue tige.

La nouvelle obtention de petite taille

1) *''Sträusse aus meinem Garten''.*

aussi à ajouter des Gypsophiles, des Achillées, des Marguerites, des Lys de la Madone : l'imagination n'a pas de limites. Les panicules d'un bleu brillant associées aux tournesols et aux graminées sont d'un bel effet. A l'automne, il sera encore plus facile de trouver des plantes partenaires : Asters, Chrysanthèmes, Tournesols vivaces, Rudbeckias, grandes graminées ornementales et branches à baies colorées.

Les pieds-d'alouette vivaces peuvent être utilisés comme fleurs séchées de la même manière que les annuels. Les variétés Belladonna séchent bien, ainsi que 'Völkerfrieden'. (On coupe les tiges lorsque les fleurs supérieures commencent à fleurir). On peut aussi garnir les bouquets de rameaux frutescents.

Le pied-d'alouette s'utilise en fleur coupée de différentes manières. Ici, un grand bouquet, avec des roses 'Darling'.

Groupes de couleurs de Delphiniums (impression d'ensemble fournie par Josef Sieber, dans le Jardin expérimental de plantes vivaces à Freising-Weihenstephan).

Groupe de couleurs	Hybrides de Delphinium-Elatum	Hybrides de Delphinium-Belladonna	Hybrides de Delphinium-Pacific	Autres
Bleu foncé	'Finsteraarhorn' ** 'Schildknappe' ** 'Sommernachts-traum' *** 'Tempelgong' A 'Waldenburg' ** 'Sternennacht' *	'Kleine Nachtmusik' A 'Völkerfrieden' ***	'Black Knight' Fc	
Bleu soutenu (bleu violet soutenu)	'Adria' A 'Azurzwerg' ** 'Blauwal' ** 'Fernzünder' ** 'Jubelruf' ** Fc 'Lanzenträger' ** Fc 'Zauberflöte' **	'Piccolo' ***		D. grandiflorum 'Blauer Spiegel' A D. tatsienense A
Bleu moyen	'Abgesang' ** 'Bully' A 'Junior' * 'Ouvertüre' * 'Schönbuch' A 'Traumulus' A		'Blue Bird' Fc	

Groupe de couleurs	Hybrides de *Delphinium*-Elatum	Hybrides de *Delphinium*-Belladonna	Hybrides de *Delphinium*-Pacific	Autres
Bleu clair (violet-bleu clair)	'Ariel' ** 'Berghimmel' * 'Frühschein' * 'Merlin' * 'Perlmutterbaum' ** 'Gletscherwasser' A 'Sommerwind' **		'Summer Skies' Fc	
Couleurs particulières :	'Abendleuchten' **			
Violet pourpre (violet bleu)				
Blanc	'Schneespeer' A	'Moerheimii' A	'Galahad' Fc	
Rose			'Rose tendre' Fc	*D. ruysii* 'Rosa Überaschung' Fc
Rouge				*D. nudicaule* Fc
Jaune				*D. semibarbatum* (*D. zalil*) A

* = variété intéressante
** = variété très intéressante
*** = variété excellente
A = variété pour amateur
Fc = Bonne plante vivace pour fleurs
    coupées

Adresses utiles

Les Delphiniums sont des plantes que l'on peut se procurer facilement. Il n'existe pas de pépinière de plantes vivaces qui ne propose pas une large collection de variétés. Le jardinier amateur pourra donc s'approvisionner sans difficultés auprès de son fournisseur habituel. De nombreuses jardineries offrent également un bon choix, qui se limite cependant souvent aux seuls Hybrides Pacific. Une autre source intéressante est la vente par correspondance mais attention aux catalogues ! Karl Foerster disait ''La variété c'est tout''. Il faut donc choisir ses plantes là où le nom de la variété est clairement précisé, et ne pas se fier à de vagues descriptions genre ''pied-d'alouette bleu clair'' ou ''pied-d'alouette bleu foncé''...

Nous indiquons ci-de suite, à titre indicatif un certain nombre de pépinières qui offrent toutes les garanties de sérieux, mais notre liste n'est en aucun cas exhaustive.

LES JARDINS DE COTELLE
76370 DERCHINY-GRAINCOURT
Tél. : 35 83 61 38

COUDRAY. M. Lemonnier, Ets du
Beaumont-le-Hareng
76850 BOSC-LE-HARD
Tél. : 35 33 31 37

LEPAGE, Ets. Hort. E.
La Fontaine Chemin des Perrins
49130 LES PONTS DE CE
Tél. : 41 44 93 55

LUMEN, Michel
Les Coutets
24100 CREYSSE-BERGERAC
Tél. : 53 57 62 15

PLANBESSIN
14490 CASTILLON
Tél. : 31.92.56.03

PROUTEAU Frères. Ets
Les Quatre Rues
49320 ST SATURNIN S/LOIRE
Tél. : 41 91 29 86

SOUBIEUX-GIROUX, Pép. B
11 rue Chardon
45100 ORLEANS
Tél. : 38 66 07 64

UN JARDIN DE COTTAGE
4 rue Laurent Pillard
88100 SAINT-DIE-DES-VOSGES
Tél. : 29 56 73 97

VIVAPLANTE
N 149
44190 BOUSSAY
Tél. : 40 06 88 02

Graineteries

On trouvera des graines de dauphinelles annuelles (*Consolida*) et d'Hybrides Pacific, séparément ou en mélange, chez tous les marchands grainiers, dans les jardineries ou dans les grandes surfaces.

Associations

Allemagne
En Allemagne il n'y a pas d'association réunissant exclusivement les amateurs de Delphiniums. Ceux-ci font partie de la :
Gesellschaft der Staudenfreunde e.V.
Geschäftstelle Meisenweg 1
6234 Hattersheim 3

France
La même situation se rencontre en France. Les amateurs de Delphiniums font partie de diverses associations de plantes vivaces régionales ou de la :

Société Nationale d'Horticulture de France
84, rue de Grenelle
75007 Paris

Grande-Bretagne
The Delphinium Society
Mrs. S.E. Basset
Takakkaw,
Ice House Wood
Oxted
Surrey RH8 9DW

The Hardy Plant Society
Mrs J. Sambrook
214 Ruxley Lane, West Ewell
Surrey KT17 9EU

U S A
Western Res. Delphinium Society
Harvey J. Andre Esq.
11328 Lake Avenue
Cleveland
Ohio 44102, USA

Enregistrement

Le Registre international des obtentions de *Delphinium* se trouve auprès de :
The Royal Horticultural Society's Garden
Wisley
Working
Surrey GU23 6QB (Angleterre)

Bibliographie

Basset, David : "Delphiniums (Wisley Handbook)". Cassell and Royal Horticultural Society, Londres 1990.

Bailey, L.H., Bailey, E.Z. : "Hortus Third". Macmillan Publishing, New York 1976.

Beuchert, Marianne : "Sträuße aus meinem Garten". Verlag Eugen Ulmer, Stuttgart 1991, 4e édition.

Cooper, Leslie : "A Plantman's Guide to Delphiniums". Ward Lock Ltd. Londres 1990.

Edwards, Colin : "Delphiniums". J.M. Dent and Sons Ltd, Londres 1981.

Encke, Fritz : "Sommerblumen". Verlag Eugen Ulmer, Stuttgart 1961.

Erhardt, Anne und Walter : "Pflanzen-Einkaufsführer". Verlag Eugen Ulmer, Stuttgart 1990.

Fessler, Alfred : "Der Staudengarten". Verlag Eugen Ulmer, Stuttgart 1991.

"Flora Europaea", Band 1. Cambridge University Press, Cambridge 1964.

Foester, Karl : "Winterharte Blütenstauden und Sträucher der Neuzeit". Verlagsbuchhandlung von J.J. Weber, Leipzig 1911.

Foerster, Karl : "Vom Blütengarten der Zukunft". Furche-Verlag, Berlin 1917.

Foerster, Karl : "Blauer Schatz der Gärten". Verlag Philipp Reclam jun., Leipzig 1941, und Neumann-Neudamm, Radebeul, 1989.

Foerster, Karl : "Der neue Rittersporn". Jagd-und Kulturverlag, Sulzberg im Allgäu 1990. 2e édition (qui remplace la 1re édition de 1934).

Genders, Roy : "Delphiniums". John Gifford Ltd, Londres 1963.

Haeupler, Henning, Schönfelder, Peter : "Atlas der Farn- und Blütenpflanzen der BRD". Verlag Eugen Ulmer, Stuttgart 1989, 2e édition.

Hegi, Gustav : "Illustrierte Flora von Mittel-Europa". Verlag Paul Parey, Berlin-Hamburg 1974.

Jelitto, Leo, Schacht, Wilhelm, Fessler, Alfred : "Die Freiland-Schmuckstauden". Verlag Eugen Ulmer, Stuttgart 1990.

Kummert, Fritz : "Pflanzen für das Alpinenhaus". Verlag Eugen Ulmer, Stuttgart 1989.

Leeming, John F. : "The Book of the Delphinium". Sir Isaac Pitman and Sons, Londres 1932.

Leonian, Leon H. : "Delphinium, The Book of the American Delphinium Society". Morgantown Printing and Binding Co, Morgantown, année d'édition inconnue.

Phillips, George A. : "Delphiniums. Their History and Cultivation". The Macmillan Company, New York 1933.

Puttock, A.G. : "Delphiniums and Campanulas". John Gifford Ltd, London 1959.

Seyfert, Willy : "Sommerblumen". VEB Landwirtschaftsverlag, Berlin 1985.

Sieber, Josef : "Die Sichtung der Stauden".

Stuart, Ogg :. "Delphinium for Everyone". The Garden Book Club, Londres 1961.

The Delphinium Society : "Delphiniums for All". Oxted, Surrey, année d'édition inconnue.

"The European Garden Flora", 3e partie, Cambridge Univ. Press, Cambridge 1989.

Thomas, Graham Stuart : "Perennial Garden Plants". J.M. Dent and Sons, Londres 1990, 3e édition.

Trehane, Piers : "Index Hortensis". Quaterjack Publishing, Wimborne (Grande-Bretagne) 1989.

En français :

Hansen, Richard, Stahl, Friedrich : "Les plantes vivaces et leurs milieux". Les Editions Eugen Ulmer 1992.

Cordier. F. et J.-P. : "20 000 Plantes. Où et comment les acheter". La Maison Rustique 1992.

Index

Crédit iconographique

Photos en couleurs : Fuschs Hermann, Hof, pages 41, 45, 48, 49
Toutes les autres, y compris la page de titre, sont de l'auteur.

Dessins de Marlene Gemke, Germering, d'après un projet de l'auteur.
Les dessins des pages 47, 50, 55 proviennent de ''The European Garden Flora'', Cambridge University Press ; ceux des pages 74, 79 de ''Wisley Handbook Delphiniums''.
Le dessin page 85 est extrait de ''Kleine Pflanzen für kleine Gärten'' de Fritz Köhlein, Verlag Eugen Ulmer.